Wojciech Sumliński – urodzony w 1969 w Warszawie, psycholog i dziennikarz śledczy, absolwent Wydziału Psychologii Uniwersytetu Kardynała Stefana Wyszyńskiego w Warszawie. Pracował w pierwszym polskim zespole dziennikarzy śledczych w dzienniku „Życie", a następnie m.in. w tygodniku „Wprost" i w Telewizji Polskiej. Jako freelancer był autorem i współautorem licznych publikacji oraz magazynów śledczych emitowanych w TVP: „Oblicza prawdy" i „30 minut" – ukazujących tajne operacje służb specjalnych w PRL-u i w III RP. Po publikacjach systematycznie podejmowano próby dyskredytowania autora, podważania wiarygodności i utrudniania prowadzonych przez dziennikarza śledztw procesami sądowymi, z których na łączną liczbę dwudziestu czterech dwadzieścia trzy zakończyły się jego wygraną. Najgłośniejszy z procesów dotyczył działalności założonej przez oficerów WSI spółki Megagaz, która doprowadziła do defraudacji siedmiuset milionów złotych przeznaczonych na budowę trzeciej nitki rurociągu naftowego „Przyjaźń". W korzystnych dla autora werdyktach Sąd Okręgowy oraz Sąd Apelacyjny w Warszawie określiły działalność autora jako „wzorcową pracę dziennikarza śledczego". Był laureatem licznych nagród dziennikarskich oraz Nagrody Ministra Spraw Wewnętrznych za cykl reportaży o nadgranicznej przestępczości zorganizowanej. Współautor publikacji ujawniających agentów rosyjskiego wywiadu wojskowego (GRU) pracujących w ambasadzie rosyjskiej w Warszawie pod przykryciem dyplomatycznym, po której siedemnastu rosyjskich szpiegów wyrzucono z Polski. Jako pierwszy ujawnił ściśle tajne akta świadka koronnego Jarosława Sokołowskiego, pseudonim Masa, oraz fakty całkowicie podważające obowiązującą wcześniej wersję najgłośniejszej i zarazem najbardziej tajemniczej zbrodni PRL-u – morderstwa księdza Jerzego Popiełuszki. Swoje wnioski na temat tajnej rzeczywistości III RP zawarł w licznych publikacjach, reportażach telewizyjnych i scenariuszu filmowym napisanym na zlecenie Agencji Filmowej Telewizji Polskiej oraz w czternastu książkach – na kanwie dwunastu z nich powstały audiobooki czytane przez Jerzego Zelnika, nagrane w dwóch pakietach pt. „To tylko układ" i „To tylko układ 2" – z których każda uzyskała status bestsellera sieci Empik. Większość książek została napisana już po próbie aresztowania i próbie samobójczej autora, będącej konsekwencją kombinacji operacyjnej służb specjalnych i spisku zawiązanego na szczytach władzy – mającego na celu zatrzymanie dziennikarskich śledztw Wojciecha Sumlińskiego – co potwierdziły wszystkie uniewinniające autora, prawomocne wyroki sądowe, w tym wydany w grudniu 2015 oraz we wrześniu 2016 roku wyrok Sądu Okręgowego w Warszawie. Ostatni z wyroków potwierdził, że autor padł ofiarą prowokacji i kombinacji operacyjnej służb specjalnych oraz najważniejszych osób w państwie, z urzędującym prezydentem Bronisławem Komorowskim, urzędującym szefem ABW Krzysztofem Bondarykiem, przewodniczącym Sejmowej Komisji ds. Służb Specjalnych Pawłem Grasiem oraz pułkownikiem WSI Leszkiem Tobiaszem na czele. W lutym 2016 zostały ujawnione informacje, wcześniej obwarowane klauzulą tajności, potwierdzające, że Wojciech Sumliński był najbardziej inwigilowanym przez służby specjalne dziennikarzem śledczym w Polsce. Począwszy od 2016 autor wydaje książki we współpracy z majorem Agencji Bezpieczeństwa Wewnętrznego Tomaszem Budzyńskim, byłym szefem delegatury ABW w Lublinie, któremu podlegało kilkuset oficerów i funkcjonariuszy służb specjalnych – dotąd napisali wspólnie osiem książek. Dotychczas, łącznie, książki Wojciecha Sumlińskiego zostały sprzedane w liczbie ponad siedmiuset tysięcy egzemplarzy, co czyni go jednym z najbardziej poczytnych współczesnych polskich autorów. Po traumatycznych doświadczeniach założył własne wydawnictwo WSR i poświęcił się nieomal wyłącznie działalności pisarskiej. Mieszka w Białej Podlaskiej, jest żonaty, ma czworo dzieci.

Major Tomasz Budzyński – Szef Delegatury Agencji Bez-
pieczeństwa Wewnętrznego w Lublinie, któremu podlegało
kilkuset oficerów i funkcjonariuszy służb specjalnych

Major Tomasz Budzyński – Szef Delegatury Agencji Bezpieczeństwa Wewnętrznego w Lublinie, któremu podlegało kilkuset oficerów i funkcjonariuszy służb specjalnych. Tomasz Budzyński, rocznik 1968, pochodzi z Lubartowa. Po ukończeniu tamtejszego LO rozpoczął studia historyczne na Uniwersytecie Marii Curie-Skłodowskiej w Lublinie, gdzie uzyskał tytuł magistra, a następnie rozpoczął przewód doktorski we Francji. Po tym, jak w 1992 został przyjęty do służb specjalnych w „odrodzonej Polsce", zaniechał kariery naukowej i rozpoczął służbę w lubelskiej Delegaturze Urzędu Ochrony Państwa w wydziale obserwacji. W 1999 został powołany na stanowisko Naczelnika Wydziału Zabezpieczenia Technicznego DUOP w Lublinie. W 2004 mianowany Dyrektorem Delegatury Agencji Bezpieczeństwa Wewnętrznego w tym mieście – jednej z większych delegatur w Polsce, zajmującej się działalnością kontrwywiadowczą i tzw. „płytkim wywiadem" na styku granic Polski z Ukrainą i Białorusią. W tamtym czasie podlegało mu kilkuset oficerów i funkcjonariuszy ABW. W 2007 przeszedł na emeryturę w stopniu majora. Od 2015 Tomasz Budzyński wspiera swoimi działaniami Wojciecha Sumlińskiego w pisaniu książek o mrocznych stronach III RP, odkrywających tajemnice, patologie oraz przestępczą działalność służb specjalnych, polityków i gangsterów, czyli tego wszystkiego, co nazywane jest – mafią. Dotychczas razem napisali łącznie osiem książek: „Pogorzelisko", „Oficer", „Niebezpieczne związki Andrzeja Leppera", „ABW", „Niebezpieczne związki Sławomira Petelickiego", „Niebezpieczne związki Donalda Tuska", „To tylko mafia", „Rozprawa".

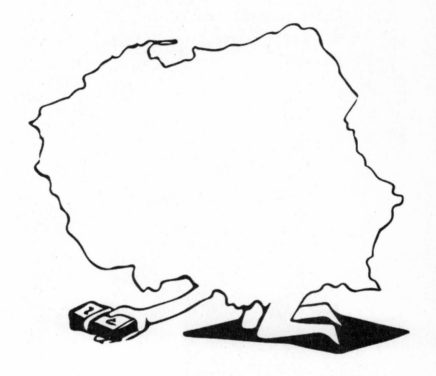

Ewa Kurek – doktor historii, człowiek pokoju, człowiek walki.

D oktor Ewa Kurek – doktorat z historii uzyskała na Katolickim Uniwersytecie w Lublinie, gdzie Jan Paweł II wykładał filozofię i teologię. Jest autorką licznych artykułów i dwunastu książek oraz reżyserem pięciu telewizyjnych filmów dokumentalnych poświęconych historii II wojny. Trzy książki Ewy Kurek zostały przetłumaczone na angielski: YOUR LIFE IS WORTH MINE – *How Polish Nuns Saved Hundreds of Jewish Children in German-Occupied Poland,* wstęp Prof. Jan Karski, New York 1998; POLISH-JEWISH RELATIONS 1939-1945 – Beyond the Limits of Solidarity, Bloomington USA 2012; POLES AND JEWS: PROBLEMS WITH HISTORY, Lublin 2018.

Ewa Kurek jest także autorką artykułów w języku angielskim, które zostały opublikowane m.in. w „Polin" (Oxford: Institute for Polish Jewish Studies); „Embracing the Other" (New York University Press) oraz „From Shtetl to Socialism" (London/Washington). Wyniki swoich badań prezentowała także na międzynarodowych konferencjach naukowych, m.in. w Yad Vashem, Jerusalem (1988), Princeton University (1993), Columbia University (2007) oraz The Institute of World Politics (2014).

Książki Ewy Kurek: *Ucieczka z zesłania* (wyd. Edition Spotkania, Paryż 1985 oraz w latach 1986-1989 wydawana przez wydawnictwa podziemne pod nazwiskiem Marii Byrskiej; pod nazwiskiem Ewa Kurek wydana: Lublin 1997; Sandomierz 2014); *Gdy klasztor znaczył życie* (wyd. „Znak", Kraków 1992; kolejne polskie wydania ze wstępem Prof. Jana Karskiego pod tytułem: *Dzieci żydowskie w klasztorach*, Wyd. I Lublin 2000; Wyd. II Lublin 2004; Wyd. III Poznań 2012; Wyd. IV. Lublin 2017); *Żydzi, Polacy, czy po prostu ludzie...* (wyd. Takt, Lublin 1992); *Żydzi, Polacy, czy po prostu ludzie – 18 lat później* (Lublin 2010); Zaporczycy 1943-1949, (wyd. Clio, Lublin 1995; wydanie II ocenzurowane Lublin 2005); *Zaporczycy – Relacje Tom I-V*, [tomy źródeł do dziejów partyzantki AK-WiN na Lubelszczyźnie w latach 1944-1956] (wyd. Clio, Lublin 1997-2000); *Zaporczycy w fotografii 1944-1956* (wyd. Clio, Lublin 2001; wydanie drugie: Lublin 2009); *Stosunki polsko-żydowskie* 1939-1945 – *Poza granicą solidarności* (Kielce 2006; wydanie II Lublin 2008; wydanie III Warszawa 2014); *Rosji rozumem nie pojmiesz?* (Lublin 2015); *Polacy i Żydzi: problemy z historią* (Lublin 2015); *Wiek na zawietrznej 1912-2012* (Lublin 2017); *Jedwabne – Anatomia kłamstwa; Biała księga cenzury i bezprawia rządów RP 2001-2017 wobec badań historycznych* (Lublin 2018).

Scenariusze i reżyseria filmów dokumentalnych Ewy Kurek: *Major Zapora*, TV Lublin 1996; *Armia Krajowa – Tryptyk Lubelski*, TV Lublin 1997; *Chłopska wojna*

– *Olek 1939-1956*, TV Lublin 1998; *Kto ratuje jedno życie...*, *II Pr.* TVP Warszawa 1998; *Mord w Owczarni*, TV Lublin 1998; *Chłopcy z „Baszty"*, TV Lublin 2001.

Prawda jest dziwniejsza od fikcji, a to dlatego, że fikcja musi być prawdopodobna. Prawda – nie.

Mark Twain

Wojciech Sumliński
Tomasz Budzyński
Ewa Kurek

POWRÓT
DO JEDWABNEGO

WSR
WARSZAWA 2019

Projekt okładki:
Wojciech Sumliński

DTP:
Maria Pinkowska
Redakcja:
Katarzyna Daniluk
Korekta:
Weronika Pawlik

Ilustracja na okładce:
Archiwum Wydawnictwa

Wydanie I

ISBN: 978-83-951815-8-0

Wydawca:
Wojciech Sumliński Reporter
ul. Wrzeciono 59c/13
01-950 Warszawa
e-mail: wojciech@sumlinski.pl
www.sumlinski.pl

Wyłączny dystrybutor:
Platon Sp. z o. o.
ul. Sławęcińska 16, Macierzysz
05-850 Ożarów Mazowiecki
tel. (22) 329 50 00
www.platon.com.pl
www.platon24.pl

Druk i oprawa:
Drukarnia READ ME

Wszystkim, którzy byli przy mnie,

gdy szedłem ciemną doliną...

Spis treści

OD AUTORA

BOGU NAJWYŻSZEMU NIECH BĘDĄ DZIĘKI!

Dziś w samo południe Sąd Rejonowy dla Warszawy-Woli uniewinnił mnie w ostatniej sprawie karnej, jaką miałem!!! Dziękuję Panu Bogu, dziękuję uczciwym sędziom – są tacy sędziowie, którzy wiedzą, że prawo ma chronić, a nie niszczyć – i dziękuję wszystkim Ludziom Dobrej Woli, którzy we mnie nie zwątpili. A można było zwątpić! Po dwudziestu sprawach cywilnych i czterech prokuratorskich oskarżeniach w sprawach karnych, w których – w każdej niezależnie od siebie – groziło mi po osiem lat więzienia, które powstały jako odpryski „afery marszałkowej" i tylko po to, by to, co robię, straciło wiarygodność i by ludzie we mnie zwątpili (możecie sobie pogratulować, podli oszczercy, bo wielu wam uwierzyło i odsunęło się ode mnie, ale może to dobrze, bo jak mieć

fałszywych przyjaciół, to nie potrzeba już wrogów!),
bo kto ma cztery sprawy karne, prawda?! Dziś ten
koszmar się wreszcie kończy. Z Bożą pomocą udało
się wygrać wszystkie sprawy cywilne, a potem karne,
jedna po drugiej, i dziś ostatnią, jeszcze nieprawomoc-
nie, ale ze wspaniałym uzasadnieniem sądu! Także za
tę sprawę groziło mi osiem lat więzienia. To dla mnie
wielkie szczęście, jak dla każdego człowieka, który jest niesłusznie oskarżany, któremu grozi osiem
lat więzienia i który na koniec słyszy: NIEWINNY.

A jednak jest to radość zaprawiona smutkiem.
Prawie dwanaście lat procesów, od pamiętnego 13 maja
2008, ścigania przez wszystkie możliwe służby specjalne, od ABW po CBA, sto dziewięćdziesiąt siedem roz-
praw sądowych, na które za każdym razem jeździłem
z Białej Podlaskiej do Warszawy, nie setki, a tysiące dni
spędzonych na przygotowaniach obrony do wszystkich
tych spraw, na meldowaniu się przez kilka lat po dwa
razy w tygodniu na policji w Warszawie, na „wizytach"
w prokuraturach, w ABW i CBA, w szpitalu po próbie
samobójczej – straszny, niszczący czas, wydarty rodzinie, której pozbawiono męża i ojca.
Kiedyś słyszałem zdanie, którego nie rozumiałem: że
wszystko można w życiu nadrobić, ale nie przegapione dzieciństwo własnych dzieci, bo gdy już minie, to na zawsze.

Dzisiaj je rozumiem. W dużej mierze przegapiłem dzieciństwo swoich dzieci i nic tego już nie zmieni – przez was, pozbawieni sumień prokuratorzy, skorumpowani politycy, dranie ze służb specjalnych, załgani dziennikarze z „Gazety Wyborczej" i innych wrażych mediów (oraz anonimów, których było najwięcej, a którzy wykonali gigantyczną pracę, by mnie zdyskredytować), którzy pisaliście, że Wojciech Sumliński jest oskarżany w wielu sprawach karnych, w których dowody są miażdżące – co napiszecie teraz, gdy okazało się, że nigdy, przenigdy żadnych dowodów moich rzekomych przestępstw nie było, z jednego prostego powodu – bo po prostu nie było przestępstw! Wszystko wyssane z palca tylko po to, by zniszczyć dziennikarza, człowieka, który uwierzył w misję tego zawodu i w to, że ludzie na wysokich stołkach to nie święte krowy. Szczęśliwa chwila – smutna refleksja, tak to wygląda. Dla mnie ten koszmar się kończy, a jednak wiem, że to kredyt dany mi od Pana Boga, bym przez resztę swojego życia nie zapomniał o słowie POKORA oraz o tych, którzy mieli mniej szczęścia – fałszywie oskarżanych, niewinnie skazywanych.

Przysięgam publicznie: nie zapomnę o Was i coś wymyślę – dotąd, sam oskarżany, nie miałem na to dość sił – by Wam pomagać, jak tylko będę potrafił. Jeżeli tego nie zrobię i o Was zapomnę – Ty, Panie Boże, zapomnij o mnie. Amen.

Nie chcę dziś pisać więcej – chcę podziękować Bogu, a potem już bez plecaka prokuratorskich oskarżeń wrócić do książki „Powrót do Jedwabnego". W podróży oprowadzającej po znanym tylko nielicznym prawdziwym świecie relacji polsko-żydowskich przydatny jest kompas, bez którego prędzej czy później zawsze zejdziemy z kursu. Chcę wierzyć, że ta publikacja stanie się dla Państwa takim właśnie kompasem, który nie tylko ostrzega przed zejściem z kursu, ale też pokazuje, skąd przybyliśmy i dokąd zmierzamy – a niestety nie jest to dobry kierunek...

Zapraszam do lektury Wszystkich Ludzi Dobrej Woli, a także Poszukiwaczy Prawdy i raz jeszcze z całego serca dziękuję za wszystko. Z Panem Bogiem!

Wojciech Sumliński

Wpis – z nieznacznie zmodyfikowanym zakończeniem – opublikowany 7 listopada 2019.

WSR 24

#NIGDY SIĘ NIE PODDAWAJ

ROZDZIAŁ I
ANTYSEMITA

– Czy jest pan antysemitą? – pytanie, a właściwie oskarżenie, było jak uderzenie obuchem między oczy. Rozumiałem dobrze, że wszystko, co zostało tu dziś powiedziane, służyło wyłącznie temu, by zadać właśnie to jedno pytanie.

Tym razem jednak postanowiłem być cwany, odparłem więc krótko:

– Lubię Żydów, niektórych nawet bardzo. Dokładnie tak samo, jak wszyscy, których znam – prawdę powiedziawszy skłamałem, bo wiedząc to i owo, o czym wiedzieli tylko nieliczni, „polubiłem" Żydów jeszcze bardziej niż większość znanych mi ludzi.

W sytuacji, w jakiej się znalazłem, swoje myśli, rzecz jasna, postanowiłem zachować jednak dla siebie. Nie ma sensu wchodzić na drabinę, jeżeli stoi się pod niewłaściwą ścianą albo tłumaczyć coś ludziom, którzy nie widzą lasu spoza drzew. Zmitrężyłem pół dnia, by zrozumieć, że przesłuchujący mnie oficer – zgorzkniały, gburowaty typ o małych, czarnych, świdrujących oczkach – jest właśnie takim człowiekiem.

– Pan oficer pyta, dlaczego jest pan antysemitą? – facet najwyraźniej mi nie dowierzał, a tymczasem w głosie tłumaczki wyczułem nie tyle poirytowanie, co raczej rozbawienie – ale może tylko tak mi się wydawało. Równie dobrze mógł to być efekt tłumaczenia przez interkom. Tak czy inaczej, najwyraźniej ktoś tu się nieźle bawił – ale nie ja. Wreszcie do mnie dotarło, że tu nie ma dobrych czy złych odpowiedzi, a jedynie – wybory. Dla przesłuchującego mnie oficera border guards najwyraźniej tak radykalne jak to, czy zawisnąć na krzyżu czy wbijać gwoździe. I nic pomiędzy.

Zająłem się myśleniem. Moja wyobraźnia wyrabiała nadgodziny, ale że liczba potencjalnych wariantów zmierzała ku nieskończoności, dałem sobie spokój.

Zastanawiałem się, co będzie dalej...

Wszystko zaczęło się dwie godziny wcześniej, gdy funkcjonariusz straży granicznej na lotnisku Luton pod Londynem ledwo dotknął klawiatury komputera i już wiedział, co miał wiedzieć. Z miejsca schował mój paszport, zastopował stanowisko, kierując podróżnych oczekujących w kolejce za mną do stanowisk sąsiednich, i gestem ręki przywołał kogoś, kogo w tamtym momencie jeszcze nie widziałem. Po chwili pojawiło się przy mnie kilku osobników, z których dwóch nie odstępowało mnie na krok, umundurowanych i uzbrojonych – jeden wielki jak dom, drugi mały, z notesem i długopisem w ręku. Nie wiedzieć czemu przypomniał mi się stary dowcip rodem z PRL-u, o milicjantach chadzających parami, z których jeden potrafił tylko pisać, drugi – czytać, ale w UK najwyraźniej zwyczaje były inne. Tu jeden i ten sam przyswoił obie te jakże przydatne umiejętności, drugi najwyraźniej miał inne przymioty – a przynajmniej takie odniosłem wrażenie, kiedy patrzyłem na jego gabaryty. Tak czy owak, obaj podtrzymywali mnie teraz za ramiona, jakbym nie mógł ustać o własnych siłach, by po chwili, milcząc niczym kamienne lwy, bezceremonialnie zaprowadzić do lotniskowego depozytu. Kazali zostawić bagaż i telefon – zostawiłem bagaż i telefon.

Byłem aresztantem.

Gdybym do tego momentu miał w tym zakresie jeszcze jakieś wątpliwości, to chwilę później musiałbym definitywnie je stracić.

– Wyjąć sznurówki, zdjąć pasek i zegarek – głos gościa z notesem, w tym towarzystwie najwyraźniej wyższego rangą, był twardy i smagający niczym bicz, a oczy – zimne. Stojący obok osiłek zapewne tylko czekał na jakiś głos sprzeciwu – nie dałem mu tej satysfakcji.

Po chwili pobrano ode mnie odciski ze wszystkich dziesięciu palców i wykonano, niczym gwieździe Hollywood, absolutnie profesjonalną sesję zdjęciową – od przodu, obu profili i jak ktokolwiek jeszcze by sobie wyobraził. Przeżywałem swoiste deja vu. Skojarzenie z aresztowaniem z 2008, zainspirowanym przez prezydenta RP Bronisława Komorowskiego, którego przestępcze knowania wyszły na światło dzienne po oczyszczeniu mnie ze wszystkich zarzutów, było aż nadto zrozumiałe – nigdy tego nie zapomnę – ale mówiąc szczerze do tego momentu nie zdawałem sobie sprawy, jak głęboko tamto doświadczenie we mnie siedzi. Wtedy pomogła mi świadomość wagi sprawy, która pozwoliła przetrwać największą traumę. Wysoko ceniłem tamtą lekcję – człowiek staje się lepszy, gdy przetrwa trudne chwile. Różnica między sytuacją, w której się znalazłem teraz, a aresztowaniem przed laty w związku z „aferą marszałkową" polegała na tym, że tym razem obyło się bez kajdanek, z jednego prostego powodu: po prostu nie były potrzebne. Rozumiałem moich opiekunów dobrze – nie jestem może ułomkiem, ale „Duży" – jak w myślach nazwałem osiłka – mógłby mnie nosić zamiast breloczka.

Tak więc wyczyszczony ze wszystkiego, w towarzystwie dwóch bodyguardów, wyszedłem z depozytu i po chwili znalazłem się w najbardziej typowym pokoju przesłuchań, jaki tylko można sobie wyobrazić, wyposażonym jedynie w stół i dwa krzesła umieszczone po obu jego stronach.

– Pan ma dziś miting w Southampton – rzucił na odchodne ten z notesem i uśmiechnął się do mnie fałszywym uśmiechem, który zniknął równie szybko jak się pojawił. – Nie pojedzie pan do Southampton.

Przez moment przyglądał mi się badawczo, jakby czekał na jakiś komentarz – nie miałem żadnego. Są sytuacje, w których trudno powiedzieć coś sensownego. To właśnie była jedna z takich sytuacji. Trzasnęły drzwi i zostałem sam na sam ze swoimi myślami. Nic z tego wszystkiego nie rozumiałem, może tylko tyle, że zaczyna robić się nieciekawie – według prawa Murphy'ego takie rzeczy przychodzą w najgorszych chwilach – ale nie wiedziałem, co się dzieje. Czekałem, zastanawiając się, co będzie dalej – ale nie czekałem długo, bo po chwili drzwi otworzyły się i do pokoju wszedł kolejny nieznany mi osobnik. Powoli podszedł do stołu, rozparł się na krześle i obejrzał mnie sobie dokładnie, a ja obejrzałem sobie jego. Był słusznego wzrostu, miał wypielęgnowane dłonie, bystre, ciekawskie spojrzenie i na oko mógł mieć czterdzieści kilka lat. Ubrany był w białą koszulę, krawat i w ogóle prezentował się elegancko. Patrzył na mnie długo, nim przeszedł do frontalnego ataku.

– To przesłuchanie, czyli rozmowa, która ma charakter urzędowy. Będzie protokołowana, rejestrowana audio- -video i prowadzona w asyście tłumacza, choć bez jego obecności. Zrozumiał pan wszystko?

Mój angielski jest słaby, ledwie komunikatywny, ale mimo to wystarczający, bym zrozumiał wszystko – a jednak prawdę powiedziawszy nie rozumiałem nic. A nie rozumiałem z jednego prostego powodu: cała ta sytuacja była tak abstrakcyjna, że nawet gdyby siedzący naprzeciw mnie człowiek wyrażał się najczystszą polszczyzną, też bym z tego wszystkiego, co tu się działo, nie rozumiał absolutnie nic. Zamierzałem właśnie o tym mojemu rozmówcy wydukać – powiedzieć to w moim przypadku byłoby właśnie za dużo powiedziane – ale nie zdążyłem, bo z głośnika, którego wcześniej nie zauważyłem, odezwał się mile brzmiący kobiecy głos – po polsku.

– Jestem urzędnikiem border guards i będę tłumaczyła wszystko, co będzie mówił pan oficer i co będzie mówił pan. Rozmowa jest nagrywana. Zrozumiał pan? – upewniła się.

W normalnym świecie człowiek patrzący na zegarek widzi godzinę – w mojej branży chcą wiedzieć, jak działa. Jeśli idzie o mnie, to chciałem zobaczyć, jakimi kartami dysponują biorący udział w tej grze, a do tego potrzebowałem rozmowy, która ma znaczenie, bez wstępów i upiększeń.

– Rozumiem, że coś lub ktoś przedstawia mnie w złym świetle. Rozumiem też, że cokolwiek to było, dano temu wiarę i potraktowano mnie jak potraktowano. Ale tego, że uznawszy mnie za potencjalnego przestępcę, bo tak to właśnie, droga pani, wygląda, border guards nie zapewniła mi adwokata – tego, przyznaję, nie rozumiem. Proszę przetłumaczyć.

Minęło pełnych napięcia trzydzieści sekund, w trakcie których pan wlepiał we mnie wzrok i nawet okiem nie mrugnął, pani zaś informowała go słodkim, szczerym głosem o moich oczekiwaniach – jednym słowem czyniła starania, by wyłożyć mu wszystko jak karty w pasjansie. Koniec końców chyba się udało, a przynajmniej takie odniosłem wrażenie, przypatrując się minie mojego rozmówcy. Wiedziałem jedno: nie był zadowolony.

– Pan oficer mówi, że adwokat to nie ten etap i że to nie czas na oświadczenia. Pan oficer pyta – pan podejrzany odpowiada. Czy to jasne?

– Jak słońce – zawahałem się na moment – chociaż nie do końca. Skoro już o tym mowa – o co jestem podejrzany?

– Pan oficer pyta, czy ma pan świadomość, jak poważna jest pańska sytuacja?

Przypomniałem sobie film pod tytułem „Urodzony 4 lipca", w którym jest taka scena: bohater wojny w Wietnamie, amerykański żołnierz postrzelony w kręgosłup, leży sparaliżowany w szpitalu i desperacko pyta: „panie doktorze, czy będę mógł mieć dzieci?". „Nie", odpowiada lekarz, „ale mamy świetnego psychologa".

Nie musiałem być Ronem Kovicem – bo tak nazywał się ów sparaliżowany nieszczęśnik, znakomita kreacja Toma Cruise'a – by wiedzieć, jak czuje się człowiek w sytuacji ekstremalnie absurdalnej, bo – odkładając na bok proporcje, a uwzględniając po prostu skalę abstrakcji – tamta scena to była właśnie nasza rozmowa. Na moment naszła mnie nawet myśl, że może mam do czynienia z cholernym komputerem, który prowadzi dialog tylko w zakresie zaprogramowanych opcji, po chwili jednak, przypomniawszy sobie wesołość „maszyny", odrzuciłem taką możliwość. Nie zmieniało to w niczym faktu, że i kobieta z interkomu, i przesłuchujący mnie facet solidnie podnieśli mi ciśnienie.

– Pan oficer czeka na odpowiedź. Powtórzę pytanie: czy pan wie, jak poważna jest sytuacja? – pani tłumacz była niezniszczalna. Nie miałem zielonego pojęcia, jak poważna jest sytuacja, więc uśmiechnąłem się do pana oficera najpiękniej, jak potrafiłem i odparłem krótko:

– A może ten pan mi to powie.

– Przełożeni pana oficera zakładają, że należy pan do ultraprawicowej, neonazistowskiej organizacji.

– A pan oficer?

– Że się nie mylą.

Nareszcie zrozumiałem, dlaczego facet tak na mnie patrzył. W jego oczach miałem paskudną opinię. Teraz też wlepiał we mnie wzrok, ale to akurat nie robiło na mnie wrażenia – nie po moich doświadczeniach.

– Co może pan powiedzieć o tej organizacji?

Powiedziałem im prawdę – jestem dziennikarzem śledczym, który pisze książki ujawniające nieznane fakty o służbach specjalnych i niebezpiecznych związkach ludzi na wysokich stołkach, na przykład takich łotrów jak prezydent Bronisław Komorowski czy premier Donald Tusk oraz o tych, którzy są ich dokładnym przeciwieństwem i mają odwagę przeciwstawiać się łobuzom na szczytach władzy – i tym właśnie się zajmuję. Do żadnej organizacji nie należę, a jedyna quasi-instytucjonalna przynależność, do której się poczuwam, nazywa się Domowy

Kościół. Tak na wszelki wypadek dodałem, że prawdę powiedziawszy nie jest to żadna organizacja czy instytucja, a po prostu wspólnota skupiająca kilka rodzin, które pod kierunkiem księdza przewodnika w diecezji siedleckiej wspólnie się modlą, wspierają i rozmawiają o Bogu. Przez jedną krótką sekundę miałem nadzieję, że pomogło, o czym w moim mniemaniu miał świadczyć błysk w oku oficera, jednak już chwilę później zrozumiałem, że jego ożywienie zinterpretowałem absolutnie błędnie.

– Czym zajmuje się ta organizacja czy też wspólnota Domowy Kościół, do której pan należy? Czy w jej skład wchodzą prawicowcy? Pan oficer chciałby też wiedzieć, czy ta organizacja ma swoje oddziały w Wielkiej Brytanii.

Pomyślałem, że jest gatunek ludzi, do których w normalnych warunkach nie zbliżyłbym się bez kija czy czegoś takiego. Najwyraźniej miałem do czynienia z jednym z jego przedstawicieli, któremu wyprano mózg do tego stopnia, że nie był w stanie samodzielnie myśleć. Ale to nie były ani dobre miejsce, ani dobry moment do wyrażania głębi moich uczuć z jednego prostego powodu: lis nigdy nie poluje na lwy, bo życie jest ważniejsze od kolacji. Tu trzeba było raczej lisa i lwa w jednym – przypomniałem sobie motto Mickiewiczowskiego Wallenroda i uzbroiłem się w całą siłę spokoju, na jaką tylko było mnie stać. Przez następne kilkadziesiąt minut tłumaczyłem jak chłop krowie na miedzy, że jestem dziennikarzem i katolikiem, co nie znaczy bynajmniej, że należę do ekstremistycznej organizacji o neonazistowskim charakterze, międzynarodowym zasięgu i morderczych zamiarach. Odpowiadałem na wszystkie pytania, nawet te najbardziej idiotyczne, w rodzaju: czy polscy księża, którzy mnie zapraszają i u których będę mieszkał na terenie Wielkiej Brytanii, „też należą" do ultraprawicowej ekstremistycznej organizacji o charakterze neonazistowskim – ale po godzinie miałem dość. Pozwoliłem sobie na chwilę rozluźnienia i uwagę, że cała ta sytuacja jest groteskowa i wynika stąd, że ktoś – prawdopodobnie ktoś, kto nie jest dobrym człowiekiem, za to z całą pewnością do cna załganym – nie pierwszy i z pewnością nie ostatni raz zrobił mi czarny PR, ale nie zdążyłem dokończyć wypowiedzi, gdyż jeden rzut oka na twarz przesłuchującego mnie mężczyzny powiedział mi więcej niż jakiekolwiek słowa. Gdybym jeszcze miał jakiekolwiek wątpliwości odnośnie do mojego faux pas – bo tym w istocie okazały się słowa o czarnym PR-ze – musiałbym je stracić już pięć sekund później. „Pan oficer", człowiek o czarnym kolorze skóry, którego przodkowie mogli pochodzić z Afryki, zrobił minę niewróżącą niczego dobrego, po czym spytał krótko: „to pan jest także rasistą?".

Przypomniałem sobie wykładnię „Paragrafu 22" Josepha Hellera – „nie musisz latać na akcje bombardowania, jeśli jesteś szalony, ale nie chcąc latać dowodzisz, że nie jesteś szalony, gdyż tylko wariat może chcieć brać udział w tak szalenie niebezpiecznie akcjach" – i jej pointę: w absurdalnej rzeczywistości kluczem do jej zrozumienia jest tylko absurd. Pomyślałem, że w sytuacji, w jakiej utkwiłem, najlepsze, co mogę zrobić, to zamilknąć na amen, po chwili jednak skonstatowałem, że milczenie też może zostać uznane za wrogi akt lub co najmniej przyznanie się do winy polegającej na działalności w nieokreślonej ultraprawicowej organizacji zajmującej się ekstremizmem, nacjonalizmem, nazizmem i Bóg jeden raczy wiedzieć, jakim jeszcze „izmem" – więc się przemogłem. Postanowiłem odpowiedzieć na kolejną serię pytań, obiecując sobie w duchu, że bez względu na poziom ich absurdu nie dam się wyprowadzić z równowagi, by nie zostać potraktowanym na przykład paralizatorem, jak choćby nieszczęsny rodak w Kanadzie, którego spotkał tragiczny los, a którego matkę poznałem onegdaj w Vancouver. Byłem zmęczony. Każdy ma jakąś tam granicę wytrzymałości i ja swoją właśnie poznałem.

Ostatnie pytanie, a właściwie oskarżenie, było jak uderzenie obuchem między oczy. Jako człowiek oskarżany o wszystkie zbrodnie tego świata przez wszystkie możliwe służby specjalne miałem w takich „zabawach" praktykę dużo bogatszą, niż kiedykolwiek bym sobie tego życzył, znałem więc rządzące nimi mechanizmy, które były stałe i niezmienne: dobry i zły glina, odwrócona psychologia, pojedynek na spojrzenia – wszystko to znałem tak dobrze, że nie musiałem już lepiej. I rozumiałem dobrze, że wszystko, co zostało tu dziś powiedziane, służyło wyłącznie temu, by zadać właśnie to jedno ostatnie pytanie: „Czy i dlaczego jest pan antysemitą?".

Zostałem zaprowadzony do pokoju bez klamek, w którym miałem czekać na swój los. Paradoksalnie było to dobre miejsce, by wszystko przetrawić i przyswoić. Dotarło do mnie, że albo się teraz wycofam, albo poniosę poważne konsekwencje.
Musiałem wszystko przemyśleć, od samego początku. Zastanawiałem się tylko, gdzie tak naprawdę jest ten początek?

*

To było na początku czerwca 2001, długo ponad rok po książce Jana Tomasza Grossa oskarżającej Polaków o zbrodnię w Jedwabnem. Nazajutrz miałem oddać do druku artykuł, który był podsumowaniem kilkudziesięciu rozmów z prokuratorem Andrzejem Witkowskim o śmierci księdza Popiełuszki. Spotkaliśmy się, jak zwykle, w mały pokoiku w Instytucie Pamięci Narodowej w Lublinie – lubelski IPN mieścił się w baraku, warunki mniej niż skromne. Tego dnia Andrzej mówił niewiele, ale jak zawsze, gdy się odzywał, to miało znaczenie, chętnie podrzucał sugestie – w sumie ciekawa rozmowa. Nagle otworzyły się drzwi i wszedł jeden z prokuratorów. Powiedzieć, że wyglądał jak z krzyża zdjęty, to tyle, co nic nie powiedzieć.

– To koniec. Koniec wszystkiego – rzucił krótko. Widziałem, że chciał powiedzieć coś jeszcze, ale głos uwiązł mu w gardle. Znałem go dobrze i wiedziałem, że pomagał kolegom z oddziału w Białymstoku w sprawie śledztwa IPN-u dotyczącego zbrodni w Jedwabnem. Budził sympatię i sprawiał wrażenie porządnego człowieka – teraz przedstawiał sobą przygnębiający widok, jakby uszło z niego całe powietrze. Decyzja o przerwaniu ekshumacji dla wszystkich była szokiem. Rozmawiano o tym, jak ocalić śledztwo, ale przesłanie ministra sprawiedliwości było jasne jak słońce: nie chodziło o to, by je ocalić, a tylko o to, by je zostawić. Wszyscy dosłownie wstrzymali oddech – ale nikt nie rozumiał z tego nic, ponieważ to nie miało sensu. Przez wiele miesięcy dokładali starań, bo ta ekshumacja to było coś wielkiego, co mogło pokazać prawdę i przywrócić honor – im samym i wszystkim innym. Mieli do wykonania konkretne zadanie i prawie je wykonali – byli naprawdę blisko. A teraz musieli to wszystko zostawić – dlaczego?

O tym, co naprawdę wydarzyło się tamtego dnia, dowiedziałem się kilka tygodni później, gdy ponownie pojawiłem się w lubelskim IPN-ie i gdy prokuratorzy wyłożyli mi wszystko jak karty w pasjansie. Tak dokładnie, że nie trzeba było już dokładniej.

Żydzi nie chcieli prawdy o Jedwabnem – zależało im na utrzymaniu status quo uzyskanego w wyniku wypromowania w świecie książki Jana Tomasza Grossa „Sąsiedzi". Przesłanie było jasne: Polacy to naród zbrodniarzy, a jego przedstawiciele ochoczo spalili tysiąc sześciuset Żydów w Jedwabnem – a na tym nie koniec, nie początek końca czy nawet nie koniec początku. Polacy byli gorsi niż sami Niemcy. Kropka.

Łatwo było przewidzieć, co stanie się potem. Pandemonium. Zmanipulowana opinia publiczna, ta krajowa, pod dyktatem „Gazety Wyborczej", i ta międzynarodowa, pod wpływem opiniotwórczych mediów kontrolowanych w niemałej części przez środowiska żydowskie oraz przez ludzi zwyczajnie niezorientowanych, została a priori przekonana o polskiej winie. Gazety na całym świecie bezrefleksyjnie powtarzały zmanipulowane informacje. Tak zaczęła się rodzić legenda o Polakach nazistach. Efektowne kłamstwa i nachalne hołdy dla bohatera, który miał odwagę ujawnić światu prawdę, ogłupiły nieuważnych obserwatorów i zaprowadziły ich w ślepą uliczkę. W Polsce tymczasem władze kraju i autorytety moralne po rozpętaniu międzynarodowego i krajowego medialnego linczu na mieszkańcach Jedwabnego – i generalnie na Polakach – skuliły ogony pod siebie. Przeprosiny napływały ze wszystkich możliwych stron. Nierzadko brylowali w nich obywatele polscy żydowskiego pochodzenia, zamaskowani pod polsko brzmiącymi nazwiskami – niczym lisy pilnujące kurnika – oraz przedstawiciele władz. Przeprosił cieszący się poparciem większości narodu prezydent Aleksander Kwaśniewski, przeprosiły „autorytety moralne", „wszyscy święci" i nawet polscy biskupi – oni też posypali głowy popiołem i wyrazili wielki żal z powodu zbrodni rodaków.

To było coś nieprawdopodobnego. Zastanawiałem się później wielokrotnie, jak to możliwe, że ludzie tak łatwo ulegli dezinformacji i nie wychwycili takich rzeczy – bezczelności kłamstw i zwykłego draństwa – i nie mają o nich pojęcia. Chodziło o to, że na dobrą sprawę dochodzenie jeszcze się nie zaczęło, a już się zakończyło. O tym, czego mamy się dowiedzieć, decydowało dwóch ludzi. Obwarowanymi klauzulą tajemnicy i najwyższej tajności materiałami o zbrodni w Jedwabnem dysponowali szefowie Instytutu Pamięci Narodowej: Leon Kieres oraz Andrzej Paczkowski – ten sam, który kilka lat później zabłysnął newsem, jakoby z rąk polskich chłopów za litr wódki wręczanej przez niemieckich policjantów zginęło kilkadziesiąt tysięcy Żydów. Unikalne materiały przekazali Janowi Tomaszowi Grossowi – na absolutną wyłączność. I nikt inny przez długi czas nie widział i nie wiedział – bo niby skąd miał wiedzieć – co się w nich znajduje! W efekcie Gross mówił, co chciał mówić, i nikt nie był w stanie zweryfikować prawdziwości jego słów. Kieres i Paczkowski milczeli niczym kamienne lwy, a media wpatrzone w autora „Sąsiadów" jak w krynicę prawdy objawionej miały używanie, raz po raz chlastając Bogu ducha winnych mieszkańców Jedwabnego – i zresztą nie tylko Jedwabnego.

W tej sytuacji ekshumacja wyrastała na szansę, by rewelacje zaprezentowane w „Sąsiadach" zweryfikować. I to nie byle jaką szansę, a weryfikującą w sposób absolutny i niepodlegający dyskusji – bo fakty po prostu są jakie są i nie wymagają interpretacji.

Już pierwsze przecieki, które zaczęły przenikać do opinii publicznej, a także te, które przenikały tylko do wiedzących, gdzie nadstawić ucha, zwiastowały, że może być ciekawie. Na miejscu znaleziono niemieckie łuski, co mogło świadczyć o zbrodni niemieckiej – nie polskiej. To i przesłanki, że podana przez Grossa liczba ofiar została wielokrotnie zawyżona, wszystko razem wzięte jedno-znacznie wskazywało, że „Sąsiedzi" to historyjka od początku do końca mocno naciągana, służąca tworzeniu legendy i gmatwaniu śladów.

Od tego momentu wydarzenia zaczęły się toczyć błyskawicznie, jednak ich szczegóły pozostały tajemnicą, która zaginęła pomiędzy ministrem sprawiedliwości Lechem Kaczyńskim i naczelnym rabinem Polski Michaelem Schudrichem. Wiele dziwnego się wtedy wydarzyło. O tym, jak wyglądało tło tej historii, dowiedziałem się z przecieków, które dotarły do prokuratorów zaangażowanych w ekshumację w Jedwabnem.

Rabin Schudrich miał zaproponować polskim władzom rozwiązanie problemu i była to propozycja z gatunku tych nie do odrzucenia, klasyczny szantaż. Jak w mafii, gdzie mówi się, że dobrym słowem i przystawionym do głowy pistoletem uzyskasz więcej niż tylko dobrym słowem. Polskie władze miały podjąć decyzję o przerwaniu ekshumacji, rabin miał zapewnić, że sprawa nie będzie roztrząsana, bo – jak przekonywał – nieważne, jak zginęli i kto zabił, ważne, by święte kości przodków pozostawić w spokoju. Cóż było robić? W atmosferze nagonki ze wszystkich możliwych stron Kaczyński uległ presji, media na całym świecie pochwaliły mądrą decyzję – a zaraz potem sprawy przybrały inny obrót. Kuty na cztery nogi rabin Schudrich odczekał chwilę, po czym obwieścił światu, że ekshumacji w Jedwabnem nie będzie, bo jest niepotrzebna, a jest niepotrzebna, bo polskie władze już wiedzą, że zbrodni dokonali Polacy i negowanie tego faktu to taka sama nikczemność jak negowanie, że zbrodni w Katyniu dokonali Rosjanie.

Stało się.

To było sprytnie pomyślane. Bez ekshumacji nie można było dowieść, że rewelacje, które obwieścił Gross i które poznał cały świat, to nieprawda. Majstersztyk – szach i mat w jednym posunięciu.

Kolejne kłamstwa i plotki do reszty zamydliły ludziom oczy. Wielu wiedziało, że to fikcja, wielu domyślało się, że bajki na użytek opinii publicznej, wielu się wkurzyło i uznało manipulację Schudricha za najlepszy dowód na kłamstwo – ale wszyscy byli bezradni. Tamtego dnia oszukana po raz kolejny międzynarodowa społeczność sądziła, że usłyszała prawdę, a to było tylko znakomite przedstawienie. Tamtego dnia też ostatecznie zrozumiałem, że preparują tę historię, i poznałem, z czym mamy do czynienia.

Od tamtej pory zacząłem baczniej i wnikliwiej niż dotąd przyglądać się relacjom polsko-żydowskim, a im głębiej kopałem, tym gorzej to wyglądało.

Po kilku latach, niejako tylko przy okazji innych dziennikarskich badań, odkryłem, że pewne środowiska żydowskie wyspecjalizowały się zwłaszcza w trzech rodzajach manipulacji: pierwszy polegał na podkreślaniu wyjątkowości cierpień Żydów – wręcz monopolu na cierpienie – w okresie II wojny światowej, inny, związany z nim, na umniejszeniu, a nawet deprecjonowaniu cierpień innych narodów, ostatni – po prostu na kreowaniu legendy własnego bohaterstwa i zawłaszczaniu autentycznych bohaterów innych nacji. Przekonałem się, że do tej ostatniej grupy należał rotmistrz Witold Pilecki. Nie wierzyłem własnym uszom, kiedy, jadąc z Andrzejem Pileckim, synem rotmistrza, do Kazimierza nad Wisłą na zaproszenie tamtejszych środowisk patriotycznych, usłyszałem historię o ważnych ludziach z Hollywood, którzy deklarowali nakręcenie superprodukcji w gwiazdorskiej obsadzie. Pod tym wszakże warunkiem, że rodzina nie będzie protestować, gdy w filmie Pilecki zostanie przedstawiony jako Żyd. Andrzej Pilecki posłał ich do diabła, ale i tak przestraszyłem się nie na żarty, bo z miejsca uświadomiłem sobie, jakże „wybitne" byłoby to „dzieło" i jak wielkiej mogłoby narobić szkody – film o bohaterskim Żydzie, który ucieka z „polskiego obozu koncentracyjnego", by w finalnej scenie podli Polacy i tak go dopadli i zamordowali. Oskar murowany. Rozumiałem dobrze pomysłodawców takiej intrygi – to było wygodne rozwiązanie. O tym, że Żydzi cierpieli na brak autentycznych bohaterów z okresu II wojny światowej i w efekcie zawłaszczali cudze bohaterstwo, a na dodatek byli mistrzami kreacji, wiedziałem tak dobrze, że nie musiałem już lepiej – i wiedział to każdy, kto choć raz wyjechał za ocean, by przekonać się, że Powstanie Warszawskie z 1944 powszechnie utożsamiane jest tam z p owstaniem Żydów w warszawskim getcie z 1943 – bo z nazistami walczyli w Polsce Żydzi, Polacy mordowali, w najlepszym razie kolaborowali – i kto zderzył ten obraz na przykład z wywiadem z Markiem Edelmanem „Zdążyć przed Panem Bogiem", udzielonym Hannie Krall, w którym ten żydowski bojownik uczciwie tłumaczy, czym w istocie było powstanie w warszawskim getcie:

„My wiedzieliśmy, że trzeba umierać publicznie na oczach świata. Większość była za powstaniem. Przecież ludzkość umówiła się, że umieranie z bronią jest piękniejsze niż bez broni. Więc podporządkowaliśmy się tej umowie. Było nas w ŻOB (Żydowskiej Organizacji Bojowej) tylko dwustu dwudziestu. Czy to w ogóle można nazwać powstaniem? Chodziło przecież o to, żeby się nie dać zarżnąć, kiedy po nas z kolei przyszli. Chodziło tylko o wybór sposobu umierania".

W takich uwarunkowaniach z niedostatku własnych prawdziwych bohaterów, na których trzeba było kreować na przykład braci Bielskich, sięgano po tych autentycznych – tyle że obcych.

Pamiętam, jakim zaskoczeniem były dla mnie kolejne odkrycia na ścieżce poznawania prawdy o machinacjach Żydów i marginalizowaniu, a nawet szkalowaniu polskich bohaterów.

To było w 2012. Przyleciałem do Toronto na zaproszenie miejscowej Polonii i poznałem wspaniałych ludzi. Dużo rozmawialiśmy i usłyszałem niezwykłą historię, która wydarzyła się kilka lat wcześniej. Pewnego dnia synowie Violetty Kardynał, dziennikarki pracującej niegdyś w Telewizji Polskiej, opowiedzieli matce, czego uczą się w kanadyjskiej szkole: „nauczyciel ironizował, że walka obronna Polaków w 1939 r. ograniczała się do najechania konikami na wozy opancerzone armii niemieckiej. Polacy poddali się nazistom prawie bez walki, a potem sami stali się nazistami. Gorszymi niż wszyscy inni". Violetta jak stała, tak poszła do szkoły. Sądziła, że nauczyciel jest po prostu podły albo bezdennie głupi, chciała przemówić mu do rozumu, powiedzieć, co i jak. Jedno spojrzenie i już wiedziała, że nie jest podły, a po prostu – niedoinformowany. Pokazał program nauczania, wytłumaczył, że uczy, jak jego nauczono. Nie kłamał, bo gdy zaczęła dopytywać, czego uczy się przyszłych nauczycieli na wydziałach historii kanadyjskich uczelni, wszystko okazało się jasne. Jedna ze studentek polskiego pochodzenia studiująca na The University of Western Ontario zrelacjonowała przykładowy wykład na pierwszym roku studiów dotyczący wojennej historii Polski. Z owej prelekcji studenci zapamiętali tylko to, że Polacy pomagali nazistom w obozach koncentracyjnych, a także zdradzali miejsca, w których ukrywali się Żydzi. Z tej niesprawiedliwości dziejowej, tak krzywdzącej Polaków, którzy cierpieli i ginęli, również za inne narody, a zwłaszcza za Żydów, tak jak rodzina Ulmów, zrodził się pomysł na zrealizowanie filmu dokumentalnego „Upside down" – „Do góry nogami". To niezwykła historia kłamstwa, które podmieniło ofiary na katów. Nad scenariuszem, a potem realizacją pracowała wiele miesięcy, chodziła z dyktafonem i nagrywała wypowiedzi uczniów i studentów najpierw w Kanadzie, a potem w Niemczech. Nie wszyscy, ale większość z nich na pytanie, kto budował obozy koncentracyjne podczas II wojny światowej, odpowiadała, że Polacy... Na pytanie, kto to są naziści, Violetta słyszała odpowiedź – Polacy. Potem wizyty w kanadyjskich bibliotekach, studiowanie pozycji książkowych pod kątem sposobu przedstawiania w nich Polaków. Jedną z najbardziej obrzydliwych jest seria komiksów „Maus" amerykańskiego grafika Arta Spiegelmana, pojawiająca się w latach 1980–1991. Komiks zrealizowany jest na bazie rozmowy Spiegelmana z ojcem na temat jego doświadczeń jako polskiego Żyda ocalonego z Holokaustu. Przedstawia on tam Polaków pod postacią świń, a Niemców jako koty. Świnie w tym komiksie są między innymi dozorcami więziennymi kapo w obozach koncentracyjnych z sadyzmem znęcającymi się nad Żydami, w komiksie przedstawionymi jako myszy. Kolejną dezinformującą książką dla kanadyjskich dzieci w wieku 12-14 lat jest „After the War" (1996) napisana przez Carol Matas z Winnipegu, w której główna bohaterka Ruth Mendenberg po wyzwoleniu wraca z obozu koncentracyjnego do Kielc i pierwsze, co słyszy od Polaków, to „czy piece gazowe nie wykończyły was wszystkich?". Podobne przedstawianie kanadyjskim dzieciom Polaków (są nazywani nazistami i świniami) serwuje ta sama autorka w książce „Daniel's Story" z 1993. Tak więc od dzieciństwa Kanadyjczykom Polacy mają się kojarzyć z nazistami i świniami. Czy można się więc dziwić, że pierwszym wyborem osób pytanych o nazistów – zwłaszcza za oceanem – są Polacy i choć wszyscy wielcy tego świata wiedzą, że to jawne oszczerstwo, nikt z tym nic nie robi.

Tak powstał dokument, którego przesłanie było jasne: to nie przypadek czy pomyłka – to tylko ktoś namalował obrzydliwy obraz, by takim postrzegał go świat. W powietrzu zawisło pytanie: „kto?". Kto i po co masowo produkował „polish jokes" w latach siedemdziesiątych, a począwszy od lat osiemdziesiątych określenia „polish concentration camps", które systematycznie zaczęły pojawiać się w kanadyjskim radiu, telewizji, a szczególnie w prasie.

Dlaczego gdy polska dziennikarka mieszkająca w Kanadzie alarmowała Departament Promocji MSZ – który teoretycznie odpowiada za propagowanie dobrego imienia Polski za granicą – że historia Polski jest zafałszowywana na niespotykaną do tej pory skalę, natrafiła na obojętność „polskiej" administracji rządowej? Brak reakcji instytucji powołanych do obrony dobrego imienia Polski spowodował, że szukała dojścia do osób piastujących najwyższe funkcje w państwie. Ktoś przecież musiał się tym zająć! Spotkała się z prezydentem RP i ówczesną Minister Spraw Zagranicznych. Zarówno Lech Kaczyński, jak i Anna Fotyga po przejrzeniu dokumentacji filmu byli zbulwersowani całą sprawą i zaoferowali pomoc. Podobnie Janusz Kurtyka – objął patronatem dokument i udostępnił archiwa IPN. Zachowali się jak trzeba, ale widocznie zmiany miały miejsce tylko po wierzchu, bo piętro niżej pozostali urzędnicy z poprzedniej epoki.

– Wyobraź sobie – relacjonowała – że ja przedstawiam im dokumentację pokazującą, iż pokolenia Polaków odzierane są metodycznie z czci i godności, a oni zamiast

zareagować wypytują mnie, jak na esbeckim przesłuchaniu, czy przypadkiem mój film nie zagrozi pojednaniu
polsko-żydowskiemu. Wygląda na to, że to była właśnie
ich racja stanu, że instytucji opłacanej przez polskich
podatników nie zależy na odfałszowaniu historii Polski.
To było w 2006, lata po upadku komuny, a przecież
żadna z ekip nie poradziła sobie z oczyszczeniem MSZ-u
z osób związanych służbowo z PRL-em. Nie było żadną
tajemnicą, że w dyplomacji roiło się od tajnych służb oraz
absolwentów Moskiewskiego Państwowego Instytutu
Stosunków Międzynarodowych. Miała wejść odpowied-
nia ustawa to zmieniająca, ale w 2007 historia znów ob-
róciła, przyszły rządy PO, Donalda Tuska i Bronisława
Komorowskiego, i wszystko zostało po staremu.
Gdy zapytałem więc Violettę, czy cała ta jej praca, to
nie mniej niż daremny wysiłek, bo środowiska żydowskie
i tak zadbają, by jej dokument nie wyszedł z katakumb –
i generalnie, czy było warto, bo to ryzykowanie wszystkiego – nie zastanawiała się długo.
– Jest to wpisane niejako w mój zawód. Niesprawie-
dliwość boli. Zawód dziennikarza polega na tym, żeby
nie godzić się na bezprawie. Bezprawiem jest mówienie
o Polsce i Polakach nieprawdy.
Przyświecała mi myśl: nie to jest nawet najważniejsze,
co robisz – ważne, co wtedy czujesz. Jesteśmy tu tylko
na chwilę i wszyscy stąd odejdziemy tak, jak tu przybyliśmy: z pustymi rękoma. Chciałam, by coś po mnie

zostało – nasza historia. Bo tak naprawdę jako ludzie i jako naród mamy jedynie swoją historię...

Odpowiedzi na to samo pytanie – kto „maluje" nam tak obrzydliwe tło i kto potem wypełnia je wymyślonymi szczegółami? – szukał także poznany przeze mnie w owym czasie inny polski dziennikarz mieszkający w Toronto. Nazywał się Andrzej Kumor i był sympatykiem Ruchu Narodowego, w najlepszym jego kształcie i rozumieniu. Sprawiał wrażenie uczciwego i odważnego i takim chyba naprawdę był – tak przynajmniej uważało wiele osób, które poznałem w owym czasie w Kanadzie i którym mimo dzielącego nas oceanu sprawy Polski były bliższe niż wielu rodakom w kraju.

Kumor, a także kolega z branży dociekali w publikacjach, kto dorabia Polakom gębę – i z miejsca wszyscy popadli w tarapaty. Ich finalnym akordem była wizyta w jednej z większych kancelarii adwokackich w Toronto, awizowana, jako ostatnia szansa na ugodę.

Kolega udał się tam w towarzystwie adwokata.

Dwa lata po tych wydarzeniach Andrzej Kumor opowiedział mi tę historię, jak to wszystko wyglądało.

Wjechali windą na ostatnie piętro wieżowca usytuowanego opodal i prawie równie wielkiego jak CN Tower – blisko sześciusetmetrowa wieża plasująca się w czołówce najwyższych budynków świata. Weszli przez dwuskrzydłowe rozsuwane drzwi, które – jak na Kremlu – otworzyły dwie osoby, z tą różnicą, że tu za żołdaków robiły sekretarki. Potem kolejne rozsuwane drzwi i jeszcze kolejne – na koniec doszli do wielkiego salonu, z wielkim stołem i przestronnym oknem, a właściwie przeszkloną ścianą robiącą za okno. Widok niesamowity. Pod stopami rozpościerały się gigantyczne przestrzenie, całe wielkie miasto i jezioro Ontario na dodatek, aż po horyzont, i pierwsza myśl: jaki jestem mały i jak niewiele znaczę – relacjonował kolega. Nie musiał dodawać, że wszystko to stanowiło element dekoracji i psychologicznej gry obliczonej na to, by na potencjalnym procesowym przeciwniku wywrzeć oszałamiające wrażenie. I wywierało.

Adwokat spojrzał na kolegę, kolega spojrzał na adwokata i już wiedzieli, co mieli wiedzieć. Jak się okazało później, pomyśleli dokładnie o tym samym: o maleńkim pokoiku w Mississaudze, który robił za redakcję polskiego „Gońca" i o tym, co będzie dalej. Obaj pamiętali znajomego, który wszedł na podobną ścieżkę. Myślał, że wie, z czym się mierzy, ale to było złudzenie. Potem już nic nie mógł zrobić. Wiedzieli, co stanie się teraz. Oskarżenie o antysemityzm. Nic na to nie ma, ale to nieważne. W tym świecie nikogo nie interesują fakty, a jedynie umiejętne ich przedstawienie. W przeciągającym się kosztownym procesie redaktor straci wszystko, na końcu – wolność. W międzyczasie media dostaną historyjkę o polskim dziennikarzu neonaziście. Tamci rozegrają to tak, by wszyscy zastanawiali się, czy dziennikarz na pewno jest winny, ale prawdy nie pozna nikt, bo choć ludzie będą o tym mówić, to nigdy z sensem. A potem nastąpi koniec wszystkiego. Przesłanie asów kanadyjskiej palestry było jasne: skazanie ciebie to żadna korzyść – zniszczenie ciebie to żadna strata. Zastanów się chwilę i tutaj, zaraz dokonaj wyboru.

Więc się zastanowił. Myśleli z adwokatem o tym, jaką mają szansę, teraz, siedząc naprzeciw trzech asów kanadyjskiej palestry, o żydowsko brzmiących nazwiskach, którzy z dużym prawdopodobieństwem zaprowadzą ich przed oblicze podobnie reprezentatywnego sądu – w Kanadzie, z oskarżeniem o antysemityzm? Wzięli pod uwagę swoje dokonania, opinię uczciwych ludzi i społeczny szacunek, a potem jeszcze raz popatrzyli na olbrzymią kancelarię i na swoją mizerię – i już wiedzieli, co muszą zrobić. Ugoda wydawała się mniejszym złem – cóż było robić – ale to był błąd: jeszcze jedna zła decyzja w słusznej sprawie. Wydawało się, że na tym koniec, ale to nie był koniec, początek końca czy nawet koniec początku. Oskarżenia powracały, wreszcie kolega miał dość i odszedł z branży.

Andrzej Kumor został. Też miał obawy, bo nikt nie żyje w próżni, ale po tym, co wiedział i słyszał, obiecał sobie, że nigdy, choćby wyły piekło i szatani, nie ulegnie presji. Gdy niedługo potem znów spotkaliśmy się w Mississaudze, tłumaczył, że po tym wszystkim zadał sobie najważniejsze pytanie: po co żyjesz? Pozostało bez odpowiedzi. Ale jedno wiedział na pewno: nie znajdzie tego tam, gdzie trzeba zginać kark przed kłamcami.

Kilka lat później jego życie zakręciło. Został publicznie zlinczowany i opatrzony łatką antysemity, ale zniósł to dzielnie, bo rozumiał, że jest taka granica strachu, po której spokój się zaczyna – i przestał się bać.

Bo był to już człowiek kompletnie odmieniony.

Taka była jego historia – historia wielu ludzi.

O tym, że jest kalką wielu innych historii, przekonałem się niedługo później, gdy podczas kolejnych wyjazdów do Stanów Zjednoczonych i Kanady poznałem dziesiątki podobnych. W zasadzie każdy, kto znalazł w sobie dość odwagi, by piętnować kłamstwo i opowiadać publicznie o prawdach zbyt prawdziwych, by o nich opowiadać, prędzej czy później popadał w tarapaty. Wszystkie te historie razem wzięte tworzyły tło, które wraz z upływem czasu, kawałek po kawałku, także przy okazji badania innych spraw z zakresu dziennikarstwa śledczego, wypełniałem szczegółami. Na początek historycznymi, ale nie z historii globalnej, tylko tej lokalnej – zawartej w zapomnianym rejestrze zakurzonego archiwum, które na lata gdzieś się zawieruszyło w Muzeum Południowego Podlasia w Białej Podlaskiej.

Bo podobnie jak w przypadku historii Andrzeja Kumora, także to była historia jednego miasta – historia wielu polskich miast...

Pierwsi byli Żydzi niemieccy. W większej liczbie przybyli do Polski w czternastym wieku. To, że przybyli właśnie z Niemiec, było swoistym paradoksem, bo do Niemców kulturowo zawsze było im bliżej – może nawet najbliżej. A jednak w Polsce doświadczyli tego, czego na taką skalę nie doświadczyli nigdzie indziej – otwartości, wolności i szerokiej autonomii dla praw kulturalnych i religijnych, a to było kluczowe – by mimo braku własnego państwa przetrwać. W miastach zajmowali się rzemiosłem, handlem, lichwą, na wsiach zakładali karczmy i szynki. Niby wszystko w porządku, rzecz w tym, że działo się to w całkowitej alienacji od Polaków – i od wszystkich innych nacji zresztą też. Specjalne święta, specjalna kuchnia, specjalne ubój, obrzezanie, ubiór i wiele innych elementów – wszystko to służyło pokazaniu tej właśnie odrębności: żyjemy tu, gdzie i wy żyjecie, ale nie żyjemy z wami, a tylko obok was. Potem przyszli Żydzi rosyjscy –litwacy – wygnani w dziewiętnastym wieku przez cara. Przemierzali kraj w poszukiwaniu nowego miejsca do życia, w zapisach zapamiętani jako zachłanni i chciwi. Bogacili się łatwo i szybko, co przy stałej alienacji, przenoszonej z ojca na syna, rodziło napięcia i konflikty, ale nic ponadto – nie było jawnej wrogości czy nienawiści, niczego z tych rzeczy, które wiele lat później nazwano antysemityzmem. Wzorcowe przykłady z literatury tego czasu – Jankiel u Mickiewicza czy Katz

u Prusa – zdawały się wskazywać tropy, którymi mieli
podążać inni Żydzi – polscy patrioci – ale to były po-
bożne życzenia. Świat przyśpieszył, wokół zmieniało się
wszystko, ale jedno pozostawało niezmienne – alienacja
Żydów, którzy na polskiej ziemi znaleźli tak dobre warunki do rozwoju, że w owym czasie stanowili już dziesięć procent społeczności – proporcja, jakiej próżno by
szukać w jakimkolwiek zakątku świata. Pokój wersalski
pogłębił alienację – przez uznanie Żydów za mniejszość
narodową i nadanie im specjalnych uprawnień do zakładania szkolnictwa, pod osłoną Ligi Narodów. Powstają-
ce jak grzyby po deszczu szkoły z wykładowym hebrajskim, w których w ogóle nie zajmowano się nauką języka
kraju, w którym przecież żyli, tylko pogłębiły podziały,
a na to wszystko nałożyły się tendencje separatystycz-
ne. Zapamiętałem mapę jednej z organizacji żydowskich
z 1936, którą pokazano mi w lubelskim oddziale IPN-u,
a która wskazywała kierunek na przyszłość – niezależ-
na autonomia żydowska obejmująca obszerny fragment
Lublina.
W tym samym czasie coraz więcej Żydów coraz jaw-
niej wyrażało sympatię do komunizmu utożsamianego
z wrogimi Polsce Sowietami, co nie pomagało, bo po
prostu nie mogło pomagać, w zasypywaniu podziałów
– a wprost przeciwnie.
A jednak nawet wszystkie te trudności i odrębności,
napięcia i różnice, powielane przez Żydów w przedwo-

jennym stereotypie „wasze ulice, nasze kamienice", nie pokazały tego wszystkiego, co ujawniła dopiero wojna, a co wybrzmiało w najnowszej historii Białej Podlaskiej – historii wielu polskich miast.

Żydzi tu, podobnie jak w większości podlaskich czy poleskich miast i miasteczek, stanowili bez mała połowę ogółu mieszkańców, w 1939 było to blisko czterdzieści procent. Do swojej dyspozycji mieli cztery bożnice, sześć domów modlitwy, mykwę – łaźnie – szpital administrowany przez gminę wyznaniową, dom kultury, dwa cmentarze, dwa periodyki – „Bialer Wochenblat" oraz „Podlasier Łeben" – a ich koegzystencja z ludnością polską odbywała się na równych prawach i zasadach. Wybuchowi wojny, szybkiemu marszowi wojsk niemieckich na wschód i w konsekwencji wkroczeniu Niemców na Podlasie towarzyszyło ogólne przerażenie ludności, która wojska niemieckie przyjęła ze zrozumiałą wrogością. Podobnie przyjęto napaść Sowietów 17 września 1939 – ale nie do końca...

Oddajmy głos świadkom wydarzeń – Jerzy Matysiewicz w tamtym czasie miał zaledwie dziesięć lat:

„Niemcy pojawili się w Białej około połowy września i napływali przez kilka kolejnych dni. Stacjonowali do 24 września, nieliczne oddziały, po czym wycofali się równie niespodziewanie, jak się pojawili. Dzień później do miasta wkroczyli Sowieci. To wojsko, to był tragikomiczny widok. Nosili dziurawe łachmany i karabiny na sznurkach. Szli wolno, a czołgi ledwo się toczyły. Na Brzeskiej, na wysokości mleczarni, Żydzi wznieśli bramę tryumfalną na cześć bolszewików. Ta radość z ich przybycia, to wynoszenie się, strącanie z budynków polskich symboli państwowych, palenie polskich flag, to było powszechne ze strony Żydów. Nikt tego nie rozumimał, bo przed wojną żyliśmy zgodnie. Jedna scena–symbol, która utrwaliła się w moich oczach: budynek magistratu, dzisiejsza poczta przy Placu Wolności – kilku Żydów zrzuca polskiego orła, który rozpryskuje się na kawałki. Do tych szczątek dobiega kilku innych i kopią w to, co zostało z godła. Dookoła stało wielu ludzi i wszyscy mieli łzy w oczach...".

Zbigniew Jasiński, mieszkaniec miasta: Bandy „milicjantów", komunistów i Żydów – bo to były bandy – biegały jak oszalałe po mieście, na miejscu wymierzając „sprawiedliwość", ale przede wszystkim wskazując Sowietom mieszkania i domy polskich oficerów. 8 października 1939 Rosjanie wycofali się za Bug, zabierając ze sobą Żydów i setki mieszkańców miasta, rodzin inteligenckich i polskich żołnierzy. Nikt więcej ich nie widział".

Mirosław Barczyński, kustosz oddziału martyrologicznohistorycznego Muzeum Południowego Podlasia:

„Z punktu widzenia osób narodowości żydowskiej niemiecka okupacja u nas miała trzy okresy: pierwszy to lata 1939–1942, kolejny pomiędzy 1942 i 1943 i ostatni – rok 1944. Pierwszy i trzeci to, jak na tamte realia, względnie spokojny czas, najbardziej tragicznym momentem było powstanie bialskiego getta. Niemcy spędzili kilka tysięcy osób, także z Suwałk i Łomży. Po jego likwidacji, w połowie 1943, wymordowali większość Żydów, a potem zmusili okolicznych chłopów do wywozu ich mienia, by nie pozostał kamień na kamieniu. Patrząc wstecz na to wszystko i jak jest teraz przedstawiane, to pewnie tylko kwestia czasu, gdy usłyszymy absurdalne oskarżenie, że na Podlasiu polscy chłopi pomagali Niemcom w pacyfikacji bialskiego getta.

O co tu naprawdę chodzi?"

Materiały z Muzeum Południowego Podlasia to był pierwszy krok. Później przyszły inne materiały – i tak poznałem odpowiedź na pytanie: o co naprawdę chodzi?

W tamtym czasie wiedziałem i rozumiałem coraz więcej, ale szukałem czegoś, co byłoby jak chwila, w której przechodzisz przez most i już wiesz, że nie masz powrotu. Tym mostem była książka Normana Finkelsteina „Przedsiębiorstwo Holokaust", która przypadkowo wpadła mi w ręce, a która powinna wpaść mi w ręce dużo wcześniej – zobaczyłbym to, co powinienem zobaczyć dawno temu: las, którego nie dostrzegałem spoza drzew. Ale – jak powiadają – lepiej późno niż wcale.

Czym jest Przedsiębiorstwo Holokaust? Zorganizowaną grupą instytucji, fundacji, organizacji i osób, w tym wypadku reprezentujących środowiska amerykańskich

Żydów, osiągającą gigantyczne zyski w związku ze skutkami Holokaustu. By to wytłumaczyć, trzeba wszystko opowiedzieć od początku. Po zakończeniu II wojny światowej podnoszenie w Ameryce – czy generalnie w świecie Zachodu – tematu odszkodowań za Holokaust nie było dobrze widziane – uderzało w wizerunek Republiki Federalnej Niemiec, nowego sprzymierzeńca. Holokaust stał się bronią izraelskich przywódców i diaspory żydowskiej dopiero po wojnie 1973, gdy Izrael był osamotniony na arenie międzynarodowej. Wtedy też sprecyzowano dogmaty nowej ideologii, które zakładały, że Holokaust jest wydarzeniem tak absolutnie wyjątkowym i tak nieporównywalnym z żadnym innym wydarzeniem, że nie da się go nawet objąć rozumem. Elie Wiesel, główny ideolog takiego pojmowania Holokaustu, żydowski publicysta i historyk, który w 1986 dostał Pokojową Nagrodę Nobla – nie wiadomo konkretnie za co, ale w przypadku tej nagrody zaskakujące wybory to już norma – twierdził wręcz, że „Holokaust leży poza zasięgiem historii, a próba jej badania zgodnie z zasadami nauki jest »unicestwieniem historii«".

Z tej narracji wynika już wprost, że ocalałym z Holokaustu trzeba wierzyć bez weryfikacji tego, co mówią, bo wiadomo, że mówią prawdę. Wyjątkowość terminu Holokaust miała polegać także na tym, że należało się nim posługiwać tylko w odniesieniu do Zagłady Żydów i do nikogo innego. Ideologia Wiesela sprowadzała się zatem do przyjęcia jako prawdziwej także historii opisanej w „Malowanym Ptaku" Jerzego Kosińskiego. I choć szybko stało się jasne, że autor niemiłosiernie nazmyślał, Wiesel „rozpoznał" w książce „dzieło świadka Holokaustu". Podobnie było z książką Binjamina Wilkomirskiego vel Brunona Dössekkera „Fragments", w której autor opisał swój pobyt na Majdanku i następnie w Auschwitz jako dziecko odseparowane od rodziców. Książka była hitem w Europie oraz Stanach Zjednoczonych i stanowiła sztandarowy przykład męczeństwa Żydów podczas II wojny światowej. Wilkomirski był hołubiony przez środowiska żydowskie, został laureatem wielu nagród, zbierał środki na Muzeum Holokaustu, udzielał się jako uniwersytecki wykładowca i historyk – a później się okazało, że Wilkomirski urodził się w 1941 i wojnę przeżył w Szwajcarii, w luksusowych warunkach. Nie przeszkadzało to jednak ideologom Holokaustu, którzy stwierdzili, że Wilkomirskiego nie można nazwać fałszerzem, bo przecież „napisał powieść, którą głęboko przeżył" i jego „ból jest autentyczny". Komiczne tłumaczenie komicznych ludzi, z całą powagą zamieniających kłamstwo w oręż walki o cel.

Jaki to cel? – nietrudno się domyślić.

Marząc o porzuceniu nazistowskiej spuścizny, Niemcy, wprzęgnięte przez Stany Zjednoczone do antykomunistycznego bloku państw Europy Zachodniej, zgodziły się na zapłatę odszkodowań. Pieniądze przeznaczono głównie na finansowanie organizacji żydowskich funkcjonujących w świecie arabskim, muzea upamiętniające Holokaust, programy badawcze nad Holokaustem oraz inne projekty, a także na wynagrodzenie dla działaczy organizacji skupionych w Konferencji Roszczeniowej.

Następnym celem była Szwajcaria – w czasie wojny kraj neutralny, który odmówił schronienia Żydom szukającym azylu przed prześladowaniami Niemiec. Pretekstem do wysunięcia roszczeń była kwestia „uśpionych kont" należących do Żydów, którzy zdeponowali swoje oszczędności w bankach szwajcarskich w czasie II wojny światowej lub przed nią, a których wysokość żydowscy działacze oszacowali na podstawie sobie tylko wiadomej, „drobne" siedem do dwudziestu miliardów dolarów. Żydzi doskonale zdawali sobie sprawę, że szwajcarscy bankierzy stoją na przegranej pozycji, bo są podatni na wpływy amerykańskich banków i naciski rządu.

Przedsiębiorstwo Holokaust zorganizowało kampanię medialną i lobbingową w Kongresie mającą na celu zdyskredytowanie Szwajcarów. Nie tylko banki stały się w tej narracji celem Przedsiębiorstwa Holokaust – stwierdzenie żydowskich działaczy, że „każdy Szwajcar opanował sztukę oszukiwania, aby chronić wizerunek i zamożność swojego państwa" należało do najłagodniejszych. Widząc, że to nie przelewki, Szwajcarzy powołali komisję śledczą do spraw „uśpionych kont" w bankach szwajcarskich, tak zwaną „komisję Volckera", która miała za zadanie sporządzenie audytu we wszystkich bankach szwajcarskich i odnalezienie wszystkich możliwych „uśpionych kont" lub dokumentacji dotyczących tych kont. Tym razem to Żydzi, widząc że prawda o roszczeniach z sufitu może wyjść na światło dzienne, zaczęli naciskać na szybkie zawarcie porozumienia. By zachęcić do jego zawarcia, pozwy zbiorowe złożyły organizacje z Centrum Wiesenthala, a politycy żydowscy kierujący większością stanowych instytucji finansowych z rewidentem finansowym stanu Nowy Jork Alanem Hevesim na czele zagrozili bojkotem szwajcarskich firm.

W ciągu kilku dni do groźby bojkotu dołączyły stany Floryda, Pensylwania, Kalifornia, Michigan – Szwajcarzy nie mieli żadnych szans i ostatecznie w sierpniu 1998 skapitulowali.

Zgodzili się na wypłatę miliarda dwustu pięćdziesięciu milionów dolarów dla spadkobierców właścicieli „uśpionych kont", uchodźców. którym odmówiono schronienia oraz ofiar niewolniczej pracy, z której Szwajcarzy korzystali podczas wojny. Rzecz jasna, pokaźna część odszkodowań wypłaconych przez szwajcarskie banki nie trafiła na konta osób indywidualnych, ale na specjalne fundusze zarządzane przez organizacje skupione w Przedsiębiorstwie Holokaust, a także honoraria adwokatów, którzy za reprezentację w sądzie inkasowali po kilka milionów dolarów.

Ci sami ludzie, te same metody i nie bez udziału prezydenta Clintona, zastosowano już w miesiąc później, wszczynając procedurę pozwów zbiorowych w stosunku do Niemiec – ale tym razem nie do państwa niemieckiego, bo drugi raz już by to nie przeszło, a do przedsiębiorstw niemieckich, oczekując odszkodowań dla pracowników przymusowych. Przedsiębiorstwo Holokaust zażądało rekompensat dla „znajdujących się w potrzebie ofiar, żyjących w nędzy, którym Niemcy nie wypłaciły odszkodowań" w wysokości dwudziestu miliardów USD, zawyżając kilkakrotnie liczbą robotników przymusowych i manipulując statystykami dotyczącymi ocalałych z Holokaustu pracowników przymusowych. Zagrożono niemieckim firmom bojkotem w USA, wszczęto kampanię oszczerstw na łamach prasy oraz innych mediów, zaangażowano polityków stanowych i szczebla centralnego. Wobec takich nacisków, pamiętając o „szwajcarskiej lekcji", niemieckie przedsiębiorstwa skapitulowały i podpisały porozumienie, na mocy na którego zgodziły się wypłacić ponad stu trzydziestu pięciu tysiącom ocalałych żydowskich pracowników przymusowych po siedem i pół tysiąca dolarów. Oczywiście dystrybucją tych odszkodowań poprzez różne organizacje zajmuje się Przedsiębiorstwo Holokaust, szkopuł w tym, że przez lata, walcząc w interesie ofiar, w rzeczywistości wykorzystywało Holokaust do zapewnienia amerykańskim Żydom, którzy podczas II wojny światowej odmówili pomocy rodakom w Europie, intratnych posad i gigantycznych honorariów.

Praca Finkelsteina wstrząsnęła mną i poruszyła do głębi, ale przede wszystkim sporo wyjaśniła i zmusiła do myślenia. Zwłaszcza jeden z rozdziałów, w którym profesor z nieprawdopodobną wręcz dokładnością przewidział wydarzenia mające nastąpić wiele lat później – to, że roszczenia mają płacić nie tylko Niemcy, którzy Żydów mordowali, i nie tylko Szwajcarzy, którzy na tragedii Żydów się bogacili, ale także ci, którzy ani z mordowaniem, ani z bogaceniem się nie mieli nic wspólnego.

„Przetrząsanie kieszeni Szwajcarów i Niemców było tylko wstępem do wielkiego finału, jakim jest ograbienie Europy Wschodniej. Wraz z upadkiem bloku sowieckiego w dawnej ojczyźnie europejskich Żydów pojawiły się kuszące możliwości. Ukryty pod świątobliwą maską „ofiar Holokaustu w trudnej sytuacji" przemysł Holokaustu zaczął wymuszać miliony dolarów od tych już i tak ubogich państw. Zuchwałe i bezwzględne dążenie do tego celu uczyniło z przemysłu Holokaustu głównego siewcę antysemityzmu w Europie.

Przemysł Holokaustu postawił się w roli jedynego legalnego pretendenta do całego komunalnego i prywatnego majątku ludzi, którzy stracili życie podczas nazistowskiego Holokaustu. Edgar Bronfman poinformował Komisję Bankowości Izby Reprezentantów o uzgodnieniach z rządem Izraela, że „mienie bezspadkowe zostanie przekazane Światowej Organizacji ds. Restytucji Mienia Żydowskiego (World Jewish Restitution Organization)".

Na podstawie tego „mandatu" przemysł Holokaustu wezwał państwa byłego bloku sowieckiego do zwrotu całego przedwojennego majątku lub wypłacenia rekompensaty finansowej. Jednak w przeciwieństwie do roszczeń wobec Szwajcarii i Niemiec, żądania te są przedkładane bez poprzedniego nagłośnienia. Opinia publiczna, która do tej pory raczej nie sprzeciwiała się szantażowaniu szwajcarskich bankierów czy niemieckich przemysłowców, może okazać się mniej tolerancyjna wobec szantażowania głodujących polskich wieśniaków. Żydzi, którzy stracili członków rodziny podczas nazistowskiego Holokaustu, także mogą niezbyt przychylnie patrzeć na machinacje WJRO. Przypisywanie sobie statusu prawnego spadkobiercy ofiar w celu przejęcia ich majątków można łatwo pomylić z okradaniem grobów. Z drugiej jednak strony mobilizacja opinii publicznej wcale nie jest przemysłowi Holokaustu potrzebna. Przy wsparciu amerykańskich urzędników najwyższego szczebla mogą z łatwością przełamać słaby opór już bardzo osłabionych narodów. Stuart Eizenstat oświadczył przed komisją Izby Reprezentantów, że „istotne znaczenie ma uznanie, że nasze działania, ukierunkowane na restytucję mienia komunalnego, mają integralne znaczenie dla odrodzenia i odnowy życia żydowskiego" w Europie Wschodniej. W celu rzekomego „promowania odbudowy" życia żydowskiego w Polsce Światowa Organizacja ds. Restytucji Mienia Ży-dowskiego żąda przekazania prawa własności do ponad sześciu tysięcy przedwojennych żydow-skich nieruchomości komunalnych, także tych, w których obecnie działają szpitale i szkoły. Przed wojną w Polsce mieszkało trzy i pół miliona Żydów; obecnie ich liczba wynosi kilka tysięcy. Czy służenie żydowskiej społeczności naprawdę wymaga, by na każdego polskiego Żyda przypadała jedna synagoga lub szkoła? Organizacja rości sobie także prawo do setek tysięcy działek polskiej ziemi, wycenionych na dziesiątki tysięcy miliardów dolarów. „Polscy urzędnicy obawiają się, że żądania takie mogłyby spowodować bankructwo całego narodu", czytamy w „Jewish Week". Gdy polski Sejm w celu uniknięcia utraty płynności zaproponował przyjęcie limitów dla odszkodowań, Elan Steinberg z WJC potępił tę ustawę jako „fundamentalnie antyamerykańską".

Aby przykręcić śrubę Polsce, adwokaci przemysłu Holokaustu złożyli pozew zbiorowy na ręce sędziego Kormana o odszkodowania dla „starzejących się i umierających ocalałych z Holokaustu". Powojenne rządy Polski zostały oskarżone o „prowadzenie w ciągu ostatnich pięćdziesięciu czterech lat wobec Żydów ludobójczej polityki wypędzania i wymierania". Rada Miejska Nowego Jorku z ochotą i jednomyślnie przyjęła uchwałę wzywającą Polskę do „przyjęcia wszechstronnego ustawodawstwa zapewniającego pewną restytucję majątku Holokaustu", a pięćdziesięciu siedmiu członków Kongresu (pod przewodnictwem kongresmena Anthony Weinera z Nowego

Jorku) skierowało do Sejmu pismo, w którym domagali
się „wszechstronnego ustawodawstwa, które skutkowa-
łoby zwrotem 100% całego majątku i aktywów przeję-
tych podczas Holokaustu". „Ponieważ ludzie każdego
dnia stają się starsi, kończy się czas na zadośćuczynienie
dla skrzywdzonych", głosiło pismo.

Podczas zeznań przed Komisją Bankowości Senatu Stuart Eizenstat potępił powolne tempo eksmisji w Europie
Wschodniej: „W związku ze zwrotem majątków pojawiło się wiele różnych problemów. W niektórych krajach na
przykład, gdy osoby lub gminy podejmowały próby odzyskania nieruchomości, zwracano się do nich z prośbą,
a czasem z żądaniem [...] umożliwienia obecnym najem-
com pozostania na dłuższy czas i płacenia regulowanych
czynszów". Eizenstata szczególnie oburzyło stanowisko
przyjęte przez Białoruś. Białoruś pozostaje „bardzo,
bardzo daleko" od przekazania przedwojennych nieruchomości żydowskich, poinformował Komisję Spraw
Zagranicznych Izby Reprezentantów. Średni miesięczny
dochód na mieszkańca wynosi na Białorusi 100 dolarów.
W celu zmuszenia krnąbrnych rządów do ustępstw
przemysł Holokaustu wymachuje pałką sankcji amerykańskich. Eizenstat wezwał Kongres do nadania od-
szkodowaniom za Holokaust wyższej rangi, przesunięcia
go na wysokie miejsce na liście wymagań wobec tych
państw Europy Wschodniej, które starają się o przyjęcie do OECD, WTO, Unii Europejskiej, NATO i Rady

Europy: „Jeżeli wy przemówicie, to będą was słuchać...
Zrozumieją, o co chodzi". Israel Singer z WJC wezwał
Kongres do „ciągłego śledzenia listy zakupów" w celu
„sprawdzania", czy każde z tych państw zapłaciło, co
powinno. Kongresmen Benjamin Gilman z Komisji
Spraw Zagranicznych Izby Reprezentantów oświadczył,
że „niezmiernie istotne jest, by państwa zaangażowane
w tę kwestię rozumiały, że ich reakcja [...] jest jednym
z kilku standardów, na podstawie których Stany Zjednoczone oceniają swoje stosunki bilateralne". Avraham
Hirschson, przewodniczący Komisji ds. Restytucji izra-
elskiego Knesetu i przedstawiciel Izraela w Światowej
Organizacji Restytucji Mienia Żydowskiego, złożył hołd
współudziałowi Kongresu w tej aferze. Wspominając
swoje „kłótnie" z premierem Rumunii, Hirschson opowiadał, że „w połowie kłótni poprosiłem o jedną uwagę
i to natychmiast zmieniło atmosferę. Powiedziałem mu
– wiecie, że za dwa dni wezmę udział w przesłuchaniach
tutaj w Kongresie. Co chcecie, żebym powiedział im
w czasie tego przesłuchania? Atmosfera natychmiast uległa zmianie". Światowy Kongres Żydów „stworzył cały
przemysł Holokaustu", ostrzega prawnik ofiar, i ponosi
„winę za promowanie [...] bardzo nieprzyjemnego odra-
dzania się antysemityzmu w Europie".

„Gdyby nie Stany Zjednoczone Ameryki", trafnie zauważył Eizenstat w swoim peanie skierowanym do Kongresu, „dzisiaj miałyby miejsce tylko nieliczne działania,

o ile w ogóle jakiekolwiek". Dla uzasadnienia nacisków wywieranych na Europę Wschodnią wyjaśnił, że probierzem zachodniej moralności jest „zwrot lub wypłata odszkodowań za bezprawnie przejęte majątki osób prywatnych i gmin". Dla „nowych demokracji" w Europie Wschodniej spełnienie tej normy byłoby równoznaczne z ich przekształceniem się z państw totalitarnych w demokratyczne". Eizenstat jest wysokiej rangi funkcjonariuszem rządu USA i prominentnym zwolennikiem Izraela. Mając jednak na uwadze podobne roszczenia wysuwane przez rdzennych Amerykanów i Palestyńczyków, przekształcenie takie nie przypadło w udziale ani USA, ani Izraelowi.

W swoim zeznaniu przed Izbą Reprezentantów Hirschson odegrał melancholijną scenę, w której starzejące się „ofiary Holokaustu w trudnej sytuacji" z Polski „codziennie przychodzą do mojego biura w Knesecie [...], błagając o zwrot tego, co do nich należy, [...] o zwrot domów, które zostawili, o zwrot sklepów, które tam zostały". Jednocześnie przemysł Holokaustu przystępuje do bitwy na drugim froncie. Lokalne gminy żydowskie z Europy Wschodniej odrzucają pokrętny mandat Światowej Organizacji ds. Restytucji Mienia Żydowskiego i występują z własnymi roszczeniami do bezspadkowego mienia żydowskiego. Uprawnienia do składania takich roszczeń mają jednak wyłącznie Żydzi należący do lokalnych gmin żydowskich. Oczekiwane odrodzenie żydowskiego życia będzie więc polegać na powoływaniu się przez europejskich Żydów na ich świeżo odkryte korzenie w celu dobrania się do łupu po ofiarach Holokaustu. Przemysł Holokaustu jest dumny z przeznaczania odszkodowań na cele żydowskiej dobroczynności. „O ile dobroczynność jest szlachetnym celem, to przeznaczenie na dobroczynność cudzych pieniędzy jest niewłaściwe", zauważył jeden z prawników reprezentujących prawdziwe ofiary. „Jednym z ulubionych celów jest edukacja o Holokauście", według Eizenstata „najważniejsza spuścizna po naszych wysiłkach". Hirschson jest także założycielem organizacji zwanej „Marsz Żywych", która stanowi centralny temat edukacji o Holokauście i jest głównym beneficjentem pieniędzy z odszkodowań. W tym inspirowanym przez syjonizm spektaklu z wielotysięczną obsadą, żydowska młodzież z całego świata zbiera się w obozach śmierci w Polsce, gdzie otrzymuje z pierwszej ręki instrukcje na temat niegodziwości nie- -Żydów, by następnie odlecieć do Izraela po zbawienie. „Jerusalem Report" zauważył ten element kiczowatości w czasie Marszu: „Bardzo się boję, nie mogę iść dalej, chcę już być w Izraelu«, powtarzała raz za razem młoda kobieta z Connecticut. Cała dygotała. [...] Nagle jej przyjaciel wyciągnął dużą flagę Izraela. Kobieta owinęła się flagą i oboje poszli dalej". Flaga Izraela: nie wychodź bez niej z domu.

David Harris, przedstawiciel AJC, w swoim przemówieniu w czasie waszyngtońskiej Konferencji o Majątku z Ery Holokaustu wygłaszał peany na cześć „przemożnego wpływu" pielgrzymek do nazistowskich obozów śmierci na żydowską młodzież. „The Forward" zamieścił notatkę opisującą ze szczególnym patosem pewien epizod. W artykule zatytułowanym „Izraelskie nastolatki figlują ze striptizerkami po wizycie w Auschwitz" (Israeli Teens Frolic With Strippers After Auschwitz Visit) gazeta wyjaśniła, że uczniowie z kibucu „zatrudnili striptizerki w celu rozładowania przykrych emocji, jakie wywołała ta wycieczka". Podobne tortury ewidentnie tak wstrząsnęły żydowskimi uczniami w czasie wycieczki szkolnej do amerykańskiego Muzeum Pamięci Holokaustu, że – według „The Forward" – „biegali po całym obiekcie i doskonale się bawili, obmacując się i tak dalej".

Wiedziałem, o czym pisze tu Norman Finkelstein, bo znałem podobne przekazy. Jeden z nich usłyszałem od organizatorów mojego spotkania autorskiego w Oświęcimiu, po którym jeden z zaprzyjaźnionych przewodników oprowadzał mnie po obozie śmierci. Ciekawe rzeczy opowiadał. Zapamiętałem zwłaszcza przekaz o tym, czego uczona jest tu izraelska i ogólnie żydowska młodzież, oprowadzana przez żydowskich przewodników – że Polacy byli gorsi niż Niemcy i że takie obozy, jak ten, powstawały w Polsce, bo tu panował największy antysemityzm i był najlepszy społeczny klimat dla zakładania takich obozów.

I ta edukacja trwa od pokoleń. Czy można się dziwić, że tak programowani ludzie, którzy wracają później do Izraela czy Stanów Zjednoczonych, gdzie zostają prawnikami, dziennikarzami, politykami i Bóg wie kim jeszcze, jak bardzo wpływowymi ludźmi – mówią, co mówią i robią, co robią? Czy można się dziwić, że nakarmieni kłamstwami o Polsce i nienawiścią do Polaków, odreagowują nawet na pokojach hotelowych, które nierzadko zostawiają w takim stanie, że nic, tylko usiąść i płakać? Pamiętam, jak w październiku 2014, po konferencji poświęconej błogosławionemu księdzu Jerzemu Popiełuszce na Katolickim Uniwersytecie Lubelskim, na której byłem jednym z prelegentów, poszliśmy w zamkniętym gronie na kolację i jak o tym właśnie opowiadali nam dwaj lubelscy hotelarze. O tajemnicy poliszynela polegającej na strachu właścicieli i dyrektorów przed niektórymi gośćmi – bardziej przypominającymi Hunów niż gości – zwiedzającymi Majdanek, o czym wiedzą wszyscy, ale na głos nie skarży się nikt, bo to przecież „antysemityzm". Kiedy słuchałem takich historii, zastanawiałem się sarkastycznie, czy przypadkiem Austriacy nie mieli aby słuszności, zostawiając na miejscu obozu koncentracyjnego Mauthausen-Gusen jedynie pamiątkowej tablicy i opowieści historycznej, w których nie było miejsca na nic więcej. Bo do nich – spadkobierców nazistów, którzy milionami wsparli Hitlera – nie przyjeżdżają wycieczki, by dowiadywać się o au-striackim nazizmie, który był faktem

– przyjeżdżają za to do nas, by słuchać kłamstw o polskich nazistach i polskich obozach koncentracyjnych, których najwięcej powstało właśnie w Polsce, bo tu było najwięcej nazistów i antysemitów.

Profesor Norman Finkelstein, uczciwy Żyd, który miał odwagę powiedzieć wprost, skąd wywodzą się podobne kłamstwa i dokąd zmierzają, zapłacił za to infamią, zakazem wjazdu do Izraela i zniszczeniem za życia. Taka była cena prawdy – ale nie płacił jej sam, płacili także inni. Przekonałem się o tym, gdy ją poznałem.

Była to kolejna niezwykła historia człowieka – historia wielu ludzi.

Na oko nie miała trzydziestki, choć równie dobrze mogła być trochę starsza, i stanowiła mieszaninę sprzeczności. Poważna, ale z poczuciem humoru, miała coś z odludka, ale zarazem była otwarta i prostolinijna, jedna z tych, u których wszystko jest wypisane na twarzy i którym trudno cokolwiek ukryć. Zrobiła na mnie wrażenie osoby godnej zaufania. Typ młodego naukowca, introwertycznego i drobiazgowego – tak mi ją przedstawiono i tak w istocie wyglądała, na młodą dziewczynę, która lubi siedzieć z nosem w książkach. Była koleżanką mojej koleżanki, doktor Ewy Kurek, z którą współpracowałem przy tematach dotyczących Żydów. Prawie cały czas, kiedy rozmawiała ze mną, trzymała ręce splecione na kolanach, jak grzeczna uczennica. Rozmawialiśmy w „Mango", niewielkiej restauracji vis à vis Biblioteki Uniwersytetu Warszawskiego. Miała białą elegancką koszulę i ekstrawagancki kapelusz, który wzbudziłby uwagę ślepca. W takim miejscu jak to, w podrzędnej restauracyjce na Dobrej, wyglądało to dość osobliwie, a może nawet trochę dziwacznie – ale w granicach rozsądku. Wiedziałem o niej od Ewy to i owo – wiedziałem, że nazywa się Judyta Cohner-Lewinowska i jest Żydówką, która napisała niepokorną pracę doktorską, wiedziałem, że jest świet-nym historykiem i że swoją pracą wypełniła wyjątkową niszę, wiedziałem, że zapłaciła za to wysoką cenę i znalazła się na indeksie, wiedziałem wreszcie, że „przed tym" była tylko jednym z wielu badaczy, „po tym" stała się badaczem wyklętym – wypisz wymaluj młoda Hannah Arendt, która miała odwagę zwrócić uwagę na rolę wielu Żydów w unicestwieniu własnego narodu i została za to zaszczuta.

Spotkałem się z Judytą Lewinowską, bo szukała wydawcy dla swojej pracy doktorskiej, ale przede wszystkim dlatego, że wydawała się ciekawą osobą i po prostu chciałem ją poznać – a także dowiedzieć się tego, czego jeszcze nie wiedziałem.

– Wiele młodych osób męczy idea śmierci. Podzielałam ten niepokój. Może dlatego, że dużo czytałam o tragediach, z którymi nie mogłam się pogodzić, a może z innego powodu. Tak czy owak nie podejrzewałam, że, pisząc pracę doktorską o znaczeniu Zagłady we współczesnej myśli żydowskiej, zostanę tak sponiewierana i popadnę w tarapaty – z mojej perspektywy zaczęła niezwykle interesująco. Postanowiłem pociągnąć ten wątek.

– Nie poskąpi mi pani szczegółów? – zapytałem. Popatrzyła na mnie badawczo, jakby zastanawiała się, co odpowiedzieć, ale po chwili najwyraźniej już wiedziała, bo odezwała się tonem, w którym dostrzegłem mikrony życzliwości.

– Ewa powiedziała mi, że jesteśmy po tej samej stronie – teraz to ja popatrzyłem na nią uważnie.

– To są jakieś strony? – zapytałem.

– Ja szukam prawdy, a pan?

Najwyraźniej czekała na jakiś komentarz, ale nie miałem żadnego. A nie miałem, bo uznałem, że za wcześnie na zwierzenia, poza wszystkim to ona wywołała to spotkanie.

Mimo wszystko postanowiłem odpowiedzieć.

– Wie pani, co Mark Twain powiedział o prawdzie?

– Nie mam zielonego pojęcia.

– Że prawda jest dziwniejsza od fikcji, a to dlatego, że fikcja musi być prawdopodobna. Prawda – nie.

– To równie absurdalne jak historia z podobieństwami. Słyszał pan, że kiedyś Chaplin wystartował w konkursie na swojego sobowtóra? Zajął trzecie miejsce. Wiem, że wszystko jest ocenne i każdy ma swoją prawdę, ale mnie chodzi po prostu o to, czy mogę panu zaufać.

– Niech pani mi to powie.

Dlaczego uważa pan, że potrafię.

– Bo przyszła pani na spotkanie z nieznajomym, by opowiedzieć o tym, co panią spotkało. Często pani tak robi?

– Prawie nigdy – ok. Zacznijmy od początku.

– Zamieniam się w słuch.

– Wszystko zaczęło się od tego, że wybrałam nieodpowiedni temat. To znaczy z mojej ówczesnej perspektywy wydawał się jak najbardziej odpowiedni, a jednak nie spodziewałam się, że pozornie neutralna historia okaże się potencjalnie tak niebezpieczna. Wizja dociekania prawdy przesłoniła mi ryzyko, którego w ogóle nie dostrzegłam w porę. Chyba nie zdawałam sobie sprawy – nie rozu-miałam po prostu – jak ryzykowny podejmuję temat. W końcu to zrozumiałam....

– Znam tytuł pani pracy: „Teologiczne, filozoficzne, historyczne znaczenie Zagłady we współcze-snej myśli żydowskiej z perspektywy Kidusz HaSzem i Kidusz Ha-Chaim”. Co w nim niebezpiecz-nego?

– Pozornie nic, próbuję to właśnie wytłumaczyć. Upraszczając, to historia wielu ludzi – o tym, że w sytuacji ekstremalnej człowiek poznaje prawdę o sobie samym i albo upada, albo staje się lepszym, jeżeli przetrwa traumatyczne sytuacje. Odkrywanie prawdy jest celem każdego badacza, zwłaszcza takiego, który szuka prawdy o największej tragedii w historii rodzaju ludzkiego, jaką była II wojna światowa. Temat, którym się zajęłam, uważałam za ciekawy i ekscytujący. Taki rodzaj wyzwania.

– I jak pani podeszła do tego wyzwania?

– Przekopałam całą dostępną literaturę, polską, żydowską, amerykańską, dokonałam kwerendy, tłumaczeń, głęboko sięgnęłam do źródeł i chyba niewiele pominęłam. Na koniec wyciągnęłam wnioski. Promotorzy na Uniwersytecie Warszawskim wydawali się zadowoleni, byli życzliwi i otwarci. Uznałam, że trzeba to kontynuować. A potem, nagle, sprawy przybrały inny obrót i wszystko się zmieniło.

– Co się stało?

– W rozmowie z jednym z recenzentów profesorem Pawłem Śpiewakiem usłyszałam, że zajęłam się nie tym, co trzeba i nie tak jak trzeba. Ale to było tylko tło. Gdy przeszliśmy do szczegółów, nieoficjalnie, okazało się, że praca ma charakter antysemicki. A to wierutna bzdura.

– Tym Pawłem Śpiewakiem? Byłym posłem Platformy Obywatelskiej i dyrektorem Żydowskiego Instytutu Historycznego, który bredzi o polskich zbrodniach popełnianych na Żydach?

– A zna pan innego? – pokręciłem przecząco głową.

– Pojechał mi Elie Wieselem. Wie pan, o czym mówię?

– Nie wiem – prawdę powiedziawszy skłamałem. A skłamałem, bo chciałem wiedzieć, jak ona ta przedstawi.

– Elie Wiesel – podobnie jak wielu innych żydowskich badaczy – twierdzi, że Holokaust leży poza zasięgiem historii i jako taki w ogóle nie może podlegać badaniom. Według Wiesela Holokaustu nie da się pojąć i w ogóle nie należy tego robić, wręcz nie wolno. Według niego to temat dla badaczy zakazany. Trzeba wszystko przyjąć a priori. Kropka. Jako historyk i naukowiec nie zgadzam się z takim podejściem. Nie uważam, by były prawdy zbyt prawdziwe, by je badać, a potem o nich opowiadać. I powiedziałam to Śpiewakowi.

– Jak zareagował?

– Delikatnie mówiąc nie był zadowolony i nazwał mnie antysemitką.

– Panią? Żydówkę?

– Nie mnie pierwszą spotkało coś takiego i pewnie nie ostatnią. Są uczciwi Żydzi. Początkowo nie rozumiałam, dlaczego tak zareagował ...

– Może dlatego, że mówi pani to, co niektórzy goje – wtrąciłem.

– Ale później to zrozumiałam – dokończyła.

– No więc dlaczego?

– Proszę pana, to, że jestem Żydówką, nie oznacza, że jestem ślepa. Widzę, co się dzieje. Słyszał pan albo czytał wypowiedzi Śpiewaka w Czechach? – pokręciłem przecząco głową.

– Podeślę panu na e-maila. Interesująca lektura. W wywiadzie dla „Tygodnika Echo" wypalił, że Polacy „zapewne" zabili większość z dwustu tysięcy Żydów, którzy uciekli z gett.

– Skąd on to wziął?!

– Naprawdę pan tego nie rozumie, czy tylko pan udaje?

– Niech mnie pani oświeci – wzruszyła ramionami.

– ŻIH ma status państwowej instytucji kultury, a zatem profesor Paweł Śpiewak jest na garnuszku państwa polskiego. Pytam pana: jak to możliwe, że człowiek, który jest opłacany z podatków Polaków, publicznie oczernia Polskę – głównie za granicę, bo w kraju jeszcze się trochę hamuje i trzyma język na wodzy – wszyscy o tym wiedzą i nikt z tym nic nie robi?

– Nie wiem, jak to możliwe. Ale to dobre pytanie – odparłem.

– I nie jedyne bez odpowiedzi. Zabawmy się w quiz:

Czy ktokolwiek z tych rzekomych autorytetów, które dyskredytują obraz Polski w oczach świata, poniósł konsekwencje? Stracił pracę, dotację, cokolwiek? Albo czy była jakakolwiek decyzja polskiego rządu sprzeczna z interesami Izraela? To nie są pytania podchwytliwe.

– Jedna była. W sprawie nowelizacji ustawy o IPN-ie – przypomniałem nieśmiało.

– I jak się to skończyło?

– Łomotem i rejteradą ze wszystkiego pod osłoną nocy.

– Więc o czym my mówimy? Pewni ludzie są nietykalni, robią, co chcą i mówią wszystkim, żeby się walili. A wie pan dlaczego? Bo to perpetuum mobile, samonapędzający się mechanizm. Taki Śpiewak na przykład – może opowiadać bzdury o polskich mordercach Żydów, bo wie, że i tak nie poniesie żadnych konsekwencji, choćby takich, by oczerniane przez niego państwo przestało go finansować. Państwo mu płaci, bo gdyby płacić przestało, rozległby się wrzask, że to dowód na antysemityzm w biały dzień, a to z kolei znalazłoby posłuch u tych, którzy kupili kit o Polakach antysemitach – bo ta śpiewka o polskim antysemityzmie dobrze się dziś sprzedaje. Więc i tak źle, i tak niedobrze. Skoro jednak ma oczerniać tak czy inaczej, to już chyba uczciwiej byłoby przynajmniej za to nie płacić – tak uważam, ale to tylko moje zdanie.

Byłem w szoku i nie ukrywałem tego.

– Nawet Jerzy Zelnik, mój serdeczny kolega, który przyznaje się do żydowskich korzeni, nie wypowiada się w taki sposób, jak pani – przyznałem zaskoczony, bo istotnie tak było.

– W taki? To znaczy w jaki?

– Zdecydowany.

– A może po prostu tylko do bólu szczery? Proszę pana, niech pan uruchomi logikę i zdrowy rozsądek: czy wyobraża pan sobie sytuację, w której rząd Izraela, czy w ogóle rząd jakiegokolwiek szanującego się państwa, finansowałby działalność ludzi, którzy to państwo szkalują? Przecież to absurd. Dlaczego polskie władze pozwalają na coś takiego?

Milczałem. Są takie sytuacje, w których trudno powiedzieć coś mądrego i to właśnie była jedna z takich sytuacji. A milczałem, bo gdy słuchałem tej tyrady, coś ściskało mnie w gardle. Judyta Lewinowska nie rozumiała, dlaczego dzieją się rzeczy niemieszczące się wprost w głowie i usiłowała znaleźć jakieś wytłumaczenie właśnie dlatego, że tego nie rozumiała. Ale to akurat trudno było wy-tłumaczyć. Przynajmniej w tym stanie wiedzy, jaki mieliśmy. Zrozumiałem, że ta młoda Żydówka bardziej przejmowała się wizerunkiem i przyszłością naszego kraju niż ludzie do tego powołani – a tak to przynajmniej wyglądało – i byłem tym odkryciem oszołomiony. Nie spodziewałem się tego – nie było tego w planach na to spotkanie, po prostu. Postanowiłem zmienić temat rozmowy, która zdawała mi się coraz bardziej przykrą.

– Ten antysemityzm w pani pracy – o co tak naprawdę chodziło?

– Najkrócej rzecz ujmując praca kwestionowała męczeństwo wielu Żydów, którzy w celu uniknięcia prześladowań gotowi byli zrobić absolutnie wszystko, by przetrwać. Jednocześnie w oparciu o twarde fakty wskazywała, że Niemcy nie mogliby robić tego wszystkiego, co robili, bez pomocy i posłuszeństwa Żydów, którzy z kolei byli gotowi pomoc tę i posłuszeństwo okazywać właśnie po to, by przetrwać. Tak było po prostu i trudno coś z tym zrobić. Ale okazało się, że o ile trudno zrobić coś z faktami, które są jakie są i właśnie dlatego nie wymagają interpretacji, o tyle zawsze można coś zrobić z osobą, które te fakty przywołuje. Można ją zaszczuć na przykład, tak jak zaszczuto mnie. Ale niech się pan nade mną nie użala. Nie lubię, jak ktoś się nade mną lituje.

– Nie użalam się. Co było dalej?

– Mój recenzent wezwał mnie i zapytał, czy mogę zrezygnować z obrony tej pracy. Ale tak na-prawdę to nie było pytanie – to było polecenie. Odmówiłam. I wtedy zaczęło się na dobre. Trzeba było słyszeć te przytyki i złośliwości, trzeba było widzieć te spojrzenia na korytarzach. To było tak nie fair, że na samo wspomnienie wszystkich tych sytuacji robi mi się niedobrze. Kiedyś nie rozu-miałam, jak można zaszczuć człowieka samym tylko wytwarzaniem pewnej presji sytuacji, nagonki – dziś to już rozumiem. Stało się. Dotarło wreszcie do mnie, że nie pozwolą mi obronić tej pracy. Uznałam więc, że ludzie powinni się o niej dowiedzieć tak czy inaczej. Pomoże mi pan? – pytanie było zaskakujące w swojej prostocie, ale rozumiałem dobrze, że w tej konkretnej sytuacji takie właśnie być musiało. Zauważyłem, że ostatnie zdania wypowiedziała bardzo szybko, właściwie na jednym wdechu, jakby chciała mieć to już za sobą. Rozumiałem ją lepiej niż zapewne przypuszczała – każdy ma swoje pudełeczko z własnym cierpieniem. Przypomniałem sobie słowa, które przed chwilą od niej usłyszałem – człowiek stanie się lepszym, gdy przetrwa ryzykowne sytuacje – i już wiedziałem, co mam zrobić. Bo to, jak potraktowano tę dziewczynę, ugruntowało mój pogląd na rzeczywistość.

– Wydam pani tę pracę, jeśli o to chodzi. I zobaczymy, co będzie potem.

Zauważyłem malującą się na jej twarzy ulgę, ale może tylko tak mi się zdawało.

– I nie boi się pan nawiązania współpracy z antysemitką? – zapytała przekornie.

– Najwyżej dołączę do szybko rosnącego grona tak rozumianych antysemitów. W niektórych kręgach już zresztą uważają, że nim jestem.

– A nie jest pan?

Zastanowiłem się chwilę, nim odparłem.

– Pani Judyto, ja tylko nie lubię niektórych Żydów, a nie lubię nie dlatego, że są Żydami, tylko dlatego, że bezczelnie kłamią o moim kraju i w dążeniu po nieuprawnione roszczenia niszczą pamięć o naszych przodkach, czyniąc z nich nazistów lub nawet potwory gorsze niż naziści – a raczej ówcześni Niemcy po prostu. A wszystko to dla potężnej kasy, która im się nie należy. Robią to krajowi, który jak żaden inny w świecie okazywał im życzliwość, przychylność i udzielił gościny. Nie ma co, pięknie za to podziękowali. Trudno za coś takiego lubić. Ale mówiąc dokładnie – ja takich Żydów, o których tu mówię, lubię dokładnie tak samo, jak oni lubią Polaków. Wiem, że jest to nieostra odpowiedź na pani pytanie, ale tyle musi pani wystarczyć.

– Wystarczy. Rozumiem pana, bo jako Żydówka patrzę na to podobnie, choć z innej strony. W świecie, o którym rozmawiamy, wiele rzeczy jest nieostrych. To jak w dowcipie o cadyku, który w szabas nie mógł sobie zapalić – ale zapalił i pytany o to odparł krótko: ja nie palę, ja tylko dymem łączę się z Bogiem.

W normalnych warunkach uśmiałbym się po pachy, ale nie wiedzieć czemu, zważywszy na kontekst i okoliczności przyrody, w jakich się znajdowaliśmy, żart wydał mi się nie tyle zabawny, co po prostu obnażający. Swoje myśli zachowałem jednak dla siebie, a zamiast tego powiedziałem z naciskiem:

– Żyjemy w tym świecie, a ten świat taki właśnie jest: przewrotny i zakłamany.

– O nie – zaprotestowała. – To tylko niektórzy takim go sobie wyobrażają. Ale zostawmy to – teraz pana kolej – nie zrozumiałem ostatnich słów, więc doprecyzowałem.

– Moja kolej? Na co?

– Proszę powiedzieć coś o sobie.

A jednak oczekiwała zwierzeń. Pomyślałem, że w sumie jest to nawet uczciwe – zaufała mi i sporo opowiedziała. Być może więcej nawet, niż zamierzała, ale tak czy owak wyszła z zamkniętej skorupy. Pomyślałem, że być może to jedna z tych osób, które chcą uczynić świat choć odrobinę lep-szym niż ten, który zastali. I podjąłem decyzję.

– Jestem facetem po przejściach i jest o mnie sporo w sieci. Większość to kłamstwa albo półprawdy – a więc i półkłamstwa – jak w Wikipedii, ale to i owo się zgadza. Jestem po próbie samobójczej i od kilkunastu lat nie wychodzę z sądów, właściwie jestem wrakiem, który cały czas nabiera wody, ale jakimś cudem wciąż jeszcze dryfuje, bo trudno to nazwać płynięciem. I jeszcze jedno – niech się pani nade mną nie użala. Nie lubię litości.

– Nie użalam się – odparła i uśmiechnęła się. Pierwszy raz, odkąd zaczęliśmy rozmawiać.

Kilka godzin później patrzyłem na las za oknem w domowym zaciszu, pogrążony w myślach, które snuły mi się wolno po głowie. Byłem zmęczony, ale wiedziałem, że to bez znaczenia, że i tak nieprędko dziś zasnę. Nie po trzech mocnych kawach i nie po tym, co dziś usłyszałem. Zamknąłem oczy i myślałem o tym, co powiedziałby o tym wszystkim, czego dziś wysłuchałem, i o postawie swoich ziomków mój psychologiczny guru Viktor Frankl, światowej sławy psychiatra, który snuł rozważania nad sensem życia w niezwykłym miejscu, jakim był obóz koncentracyjny. Przez siedem lat ten austriacki Żyd, który po piekle obozu przeszedł na katolicyzm, każdego ranka budził się ze świadomością, że nadchodzący dzień może być ostatnim. We wspomnieniach napisał: „Gdy zaproszono mnie na prelekcję dla więźniów skazanych na śmierć w komorze gazowej, powiedziałem im, że poznałem konfrontację z komorą gazową, ale nawet wówczas nie wątpiłem, że życie ma sens, obojętnie czy trwa długo, czy krótko. Bo życie albo ma sens i wówczas musi go zachować niezależnie od długości, albo jest bez sensu i wówczas nie nabierze go, choćby trwało najdłużej. A następnie powiedziałem im, że nawet spartaczone życie może nabrać sensu poprzez postawę, jaką przyjmiemy na jego końcu". Myślałem o tym, że niewątpliwie Viktor

Frankl był mądrym i dobrym człowiekiem... A potem pomyślałem, jak niezwykłe scenariusze potrafi pisać życie i o uczciwej Żydówce, którą zaszczuto tylko dlatego, że miała odwagę napisać niewygodną prawdę na niewygodny temat. Była to kolejna historia człowieka – historii wielu ludzi, których spotkał podobny los, bo ten walec miażdżył absolutnie wszystkich, którzy przeciwstawiali się jedynie słusznej obowiązującej narracji, bez względu na to, skąd pochodzili i dokąd zmierzali. Zastanawiałem się, jak zachowa się w odniesieniu do mnie i do nas. Miałem niejasne, dziwnie niesprecyzowane przeczucie, że już niedługo będę miał okazję się o tym przekonać...

I właśnie o tym wszystkim myślałem długo w noc po niezwykłym spotkaniu z niezwykłą dziewczyną, gdy wróciłem do domu na Podlasiu, by uciec od świata kłamstwa i obłudy.

A potem włączyłem komputer i otworzyłem pocztę. Obiecany e-mail już przyszedł, więc zaparzyłem kolejną kawę i wziąłem się za czytanie wygłaszanych w Czechach wizji Polaków, autorstwa autorytetu moralnego, dotowanego przez Polskę profesora Pawła Śpiewaka.

I była to porażająca lektura...

*

Przez szereg następnych miesięcy, przy okazji badania innych spraw, robiłem to, co wchodzi w zakres researchu. Artykuły i wypowiedzi, których nikt nie zarejestrował, a które teraz przywoływałem, zapomniane historie, niesprawdzone opinie, jednym słowem mieszanina faktów i domysłów – wszystko to przepuszczałem przez filtr wiedzy swojej i swoich źródeł. Do tego wiedza fachowców i ludzi po prostu dobrze poinformowanych, którzy zgodzili się powiedzieć to i owo, niektórzy anonimowo – coś niesamowitego, jak bardzo ludzie boją się mówić o Żydach, czegoś takiego nie spotkałem nawet w miniaturowej skali przy jakichkolwiek badaniach dotyczących jakichkolwiek spraw – rzadziej pod nazwiskiem. Wskazywali właściwe tropy, mówili, czego szukać i gdzie tego szukać. Bez pomocy wszystkich tych ludzi nie miałbym szans – sprawy takie jak ta niełatwo rozeznać, bo świat polityki i finansjery jest wielki i nie ma w nim prostych dróg. Na moim biurku rosły stosy papierów, ale najważniejsze było to, że każda informacja czy historia potwierdzała poprzednią.

Kolejnym etapem na drodze do zrozumienia, jak bardzo zostaliśmy zmanipulowani, oszukani wręcz, było przeczytanie zdeponowanych w ŻIH materiałów – Archiwum Ringelbluma i Pamiętników Czerniakowa z lat niemieckiej okupacji Polski. Pierwszy to żydowski historyk, drugi – burmistrz warszawskiego getta, obaj dzień po dniu pisali, jak było, a przynajmniej jak postrzegali to, co było. Moje wnioski na gorąco? Przez dziesięciolecia mamiono nas „historią", która nie miała nic wspólnego z historią, wytrenowano niczym psy Pawłowa. Ciekaw jestem, kto z Was wiedział, że przez pierwszych kilkanaście miesięcy wojny, aż do 1941, Polacy byli traktowani przez Niemców gorzej niż Żydzi? Znacznie gorzej. Na przełomie 1941/1942 to się zmieniło, bo Niemcy pokazali, jaki naprawdę mają na Żydów „pomysł", ale wcześniej wszystko wyglądało dokładnie odwrotnie niż w setkach książek czy filmów Hollywood i na przykład w „Pianiście" Romana Polańskiego, gdzie od pierwszych dni wojny Żydzi na każdym kroku są mordowani tylko za to, że są Żydami, za to goje, niemieccy i polscy, świetnie się dogadują i koegzystują prawie tak, jakby żadnej wojny nie było. Inne przesłanie wynikające ze wspomnień żydowskich kronikarzy dotyczy Żydów – w większości kompletnie niezwiązanych z polskością, z tych dokumentów to aż krzyczy. Uwierzyli Niemcom – w wielu miejscach zapisków przedstawianych wręcz z sympatią! – że będą zamykani w gettach po to właśnie, by oddzielić się od tych strasznych Polaków. Potem mieli dostać nowe miejsce do życia i rzeczywistość w ogóle miała zmienić się na lepsze. Kto z Was wiedział, że los Polaków do 1941 był do tego stopnia gorszy niż los Żydów, iż niejednokrotnie to Polacy udawali Żydów – nie odwrotnie! – i zakładali opaski z gwiazdami Dawida, by ocalić życie, ujść łapankom czy zmienić swoje położenie i że Niemcy, by wyłapywać Polaków chroniących się za żydowską opaską, kazali im mówić w języku żydowskim? Kto z Was słyszał o takich rzeczach albo o tym, że getto warszawskie miało swojego burmistrza, takiego ze służbowym samochodem, szoferem i pensją? Ja nie słyszałem i może dlatego – który to już raz? – byłem zaskoczony, że świat dał się nabrać na żydowski monopol cierpienia i rzekomy polski nazizm. Oddajmy głos Ringelblumowi i Czerniakowowi.

Archiwum Ringelbluma

5-8 grudnia 1939

W Łodzi wolno odwiedzać sąsiadów po piątej po południu. Symbioza niemieckich i żydowskich rzemieślników: pożyczają sobie pieniądze na procent.

8 grudnia 1939

Objawy ludzkiego postępowania: pani przechodzi obok Niemca z dystynkcjami [który pyta] dla-czego nie nosi ona opaski, tłumaczy się, w końcu [on] całuje ją w rękę.

22 grudnia 1939.

Rozporządzenie w sprawie konfiskaty wszelkich przedmiotów sztuki należących zarówno do instytucji, jak do osób prywatnych. U „Wedla" nie sprzedaje się Żydom czekolady. Jakiś wyższy urzęd-nik [niemiecki] widział, jak policjant zabrał chłopcu cukierki i wyrzucił; dał chłopcu 20 zł i powiedział, że cierpienia Żydów wnet się skończą. (...)

Nie sposób prowadzić działalności kulturalnej. Wyjazd przywódców i działaczy. Instytucje zostały bez kierowników. Część powróciła z tamtej strony. Żeby protokoły posiedzeń Gminy Żydowskiej były pisane w trzech językach: niemieckim, polskim i żydowskim. W Warszawie z początku żądali w hebrajskim, gdy wyjaśniono, że żydowski jest językiem potocznym, zgodzili się. Nie kpią z języka żydowskiego, przeciwnie, posługują się częstokroć Żydami jako tłumaczami.

25 grudnia 1940

Wiadomość z Kielc, że miejscowe władze wydały ortodoksyjnemu Żydowi z brodą zaświadczenie, że posiadacz tej brody itd. Widziano zaświadczenie dla Przywódcy Żydów w Katowickim (Sosnowiec, Będzin itd.), że może mieć 20 tysięcy zł, że może kazać aresztować każdego Żyda, że może swobodnie poruszać się w ciągu dnia i nocy.

grudzień 1939

W „Warschauer Zeitung" opisy okropnych zbrodni [popełnionych przez] Polaków. Nie chcemy zbratania z Polakami, gdyż między nami i nimi wykopano przepaść, którą wypełniono krwią. Herrenvolk. Polacy żadnego stworzyli. Te wszystkie budowle i miasta – Niemcy.

28-31 grudnia 1939

Podróż z Polski. Na razie mnożą się napaści chrześcijan na ulicach. Ostatnio stało się to częstym zjawiskiem, jakby ich ktoś zmuszał.

2-3 stycznia 1940

Żydzi, obcy obywatele, żyją dobrze[1]. Ich sklepy są otwarte. Na czarnej giełdzie dolar kosztuje 103 zł.

4, 5, 6 stycznia 1940

Dziś, 4 stycznia, słyszałem o wypadkach uprzedzania Żydów o rewizjach, które tamci zamierzają u nich przeprowadzić. Powiadomiły o tym kobiety, jak mówią, z określonego towarzystwa... Wiadomość okazała się prawdziwa. Dopytują się o clearing na emigrację.

1　　　*Żydów, obywateli państw, które nie pozostawały w stanie wojny z III Rzeszą, nie dotyczyły w tym czasie restrykcje i represje, ustanowione przez okupanta w stosunku do ogółu ludności żydowskiej.*

Kierowniczka szkoły powszechnej zapłaciła 10 zł za to, że nie nosiła opaski żydowskiej. W większości restauracji napisy: „Polakom i Żydom wstęp wzbroniony". W Poznaniu na ulicach pusto. W Toruniu na ulicach w dzień – pojedyncze osoby.

17, 19, 20 stycznia 1940

Widziałem dokument, że Meryn jest uprawniony do mianowania zarządców w okręgu katowickim, do wydawania nakazu aresztowania opornych, poruszania się dniem i nocą, posiadania 20.000 zł, do podawania swych zarządzeń do publicznej wiadomości na murach.

Za sumę 500 zł można się zwolnić od obowiązku noszenia opaski. Wczoraj aresztowano za nieno-szenie [opaski], trzymano cztery dni.

7, 8 lutego 1940

Złapano do pracy obywatelkę amerykańską, Żydówkę, w karakułowym futrze. Kazano jej umyć podłogę. Władcy zwrócili [jej odszkodowanie] 10.000 zł i zegarek.

21, 22, 23 lutego 1940

Bataliony Pracy podobno śpiewają: „Hitlerowiec złoty,

Hitler kochany, za czasów Polski nie mieliśmy roboty". Nalewki są obecnie Hollywoodem, bo gdzie spojrzysz, wszędzie gwiazdy.

6 marca 1940

Wywieziono ponad 1000 osób z Łodzi do Piotrkowa. 900 Polaków i 600 Żydów. Biorą Polaków do robót i wywożą ich tam [do Niemiec]. Pogłoski, że wkładają żydowskie opaski zarówno w Warszawie, jak i w Krakowie[2].

28 [lutego] zabrano wielu Polaków z mieszkań, ulic, kawiarni. Opowiadają, że chrześcijanie nałożyli żydowskie opaski.

23-28 marca 1940

We dworach Żydzi stali się z czasem najlepszymi pracownikami (o podobnym wypadku słyszałem w Warszawie). W jakimś dworze pracowali Żydzi i bezustannie ich bito. Z czasem ci sami ludzie zupełnie zmienili swój stosunek [do Żydów]. Żydzi kierują robotami; są z nich [Żydów] bardzo zadowoleni. Dwory bardzo zabiegały o uzyskanie robotników Żydów. Kiedy z pewnego dworu odwołano

---

2   *Niektórzy Polacy, chcąc uniknąć wywiezienia na roboty do Niemiec, nakładali podczas łapanki opaski żydowskie. Żydów bowiem w tym czasie kierowano na ogół do obozów pracy w kraju, co uważano za mniejsze zło.*

żydowskich robotników, właściciel osobiście pojechał do Magdeburga, by uzyskać cofnięcie takiego zarządzenia [...] Żydów, przechodzących w ordynku, obrzucano czekoladą, chlebem i innymi smakołykami. Niektórym dawano podarunki, jak zegarki, odzież, obuwie itp. Było to zjawisko masowe. (...)
Stosunek niemieckich oficerów do żydowskich dobry, koleżeński. Do lekarzy zwracali się per „kolega". (...)
Prezes warszawski [Adam Czerniaków] dostał samochód od nowego prezydenta Warszawy, dra Leista, tego samego, który był przedtem w Łodzi.

30 marca 1940

Od ludzi, którzy wrócili z obozów jenieckich, słyszałem o przełomie, jaki nastąpił w stosunku do żydów. Jest to rezultatem szacunku dla ich pracy. Żydzi wyróżniali się w pracy, nawet w robotach na roli. Opowiadał mi o tym stolarz, który był koło Norymbergi. Na początku odnosili się źle (żydowskim jeńcom wojennym zabrano ubrania i obuwie), bo Żydzi to „krwiopijcy i wyzyskiwacze". Nie brano ich do pracy. Kiedy nadszedł czas, że trzeba było wyremontować koszary, wzięto żydowskich stolarzy, którzy się wyróżnili; potem rymarzy. Dziwili się: „Żydzi – rzemieślnikami?" Nie wierzyli. Gdy się przekonali, że potrafią pracować i pracują chętnie – zmienili całkowicie swój stosunek. Słyszałem o ponad 2.300 żydowskich jeńcach wojennych, o tym, że dobrze ich przyjmowano w różnych niemieckich miastach, przez które przejeżdżali. Jakiś Niemiec powiedział: „Gdybyśmy mieli tylu Żydów, co wy, to Niemcy byłyby najbogatszym krajem". Inny Niemiec powiedział: „Przybyliście do nas jako przeklęci Żydzi, a wyjeżdżacie z powrotem jako drogie dzieci na-rodu Izraela". Znajomość języka niemieckiego była ważnym czynnikiem zbliżenia się z Niemcami. We dworach niemieckich było duże zapotrzebowanie na żydowskich robotników.

marzec 1940

Rabbi z Kozienic stłukł w ubiegłym tygodniu dzban i powiedział: „Koniec wojny". Ludzie pod-chwycili to i głosili zawieszenie broni. W tramwajach żydowskich wesoło. Do tramwaju wchodzi starszy Żyd i powiada na cały głos: „Dobry wieczór, Żydzi". Dowcip: Żyd nie mógł znaleźć kom-pletu (10) Żydów, celem odmówienia modlitwy za umarłych, wsiadł więc do tramwaju i tam zmówił swą modlitwę. Żydzi czują się swobodnie i często opowiadają nowiny ze świata.

koniec marca 1940

Coś się zmieniło – powiadają. Na Okęciu nie dawano do tej pory jedzenia żydowskim robotnikom, od kilku dni otrzymują żołnierski obiad oraz chleb ze słoniną, który mogą zabrać do domu. Historia z Prezesem Żydów [Czerniaków] i ze szpicrutą przedstawiała się tak: gdy złamała się [szpicruta] przy biciu Żydów, którzy spóźnili się do pracy, kazał oddać ją do naprawy rymarzowi i przynieść [z powrotem] o godzinie dziewiątej do biura.

13 kwietnia 1940

Na Okęciu żołnierz wybiegł z butelką piwa i zapytał, kto chce piwa. Nikt nie miał odwagi odezwać się. Następnie oświadczył, że kto trafnie odpowie [na jego pytanie], dostanie [butelkę]. Spytał jed-nego, kto wygra wojnę. Odpowiedział, że [Hitler] we własnej osobie. Spoliczkował go. To samo [nastąpiło], gdy wymieniali [kolejno] Niemcy, Anglię, w końcu oświadczył, że Żydzi. (...)
Dziś chciano złapać Żyda, który miał order walecznych armii niemieckiej. Zwolniono go po poka-zaniu orderu. Spytali: „Skąd go masz?" Odpowiedział: „Za rany odniesione pod Tannenbergiem". Zasalutowali i puścili.

20 kwietnia – 1 maja 1940

W Stargardzie pozostało siedem rodzin żydowskich. Mieszkają w jednej kamienicy. Robotnicy niemieccy przynoszą im żywność i wszystko czego im potrzeba.

Złapano 50 Żydów i zawieziono na Okęcie. Dwudziestu kazano zakopać zdechłego kota. Trzydziestu kazano się odwrócić, a potem polecono im odszukać koci grób. Udawali przez kilka godzin, że niby szukają, wreszcie znaleźli. Żołnierze śmiali się. Innym razem przyszli, nie było co robić. Ro-zegrali zawody piłkarskie, Żydzi wygrali 2:1. Charakterystyczne, że poszczególni Niemcy, [kiedy są] sami, zachowują się inaczej, po ludzku.

Słyszałem o faktach nakładania przez chrześcijan opasek żydowskich.

Akcja [pomocy] z okazji Wielkanocy miała wielkie moralne znaczenie. Znalazła duże uznanie u ludności polskiej, która podziwiała solidarność żydowską. Słyszałem o czterech klubach artystycznych. Pan Icchak [Giterman] uważa, że w Stargardzie 95% Niemców to porządni ludzie.

2, 4, 6, 7, 8 maja 1940

Pretensje, dlaczego pracują tylko biedni Żydzi. Bogaci dostają zaświadczenia i wykręcają się sianem. (...)
8 maja. Straszny dzień. W godzinach popołudniowych na wszystkich ulicach były „łapanki" Polaków. Legitymowano Żydów, czy nie są chrześcijanami. Zatrzymywano tramwaje i zabierano wszystkich na Pawiak, a stamtąd

– jak mówią – wywożono ich do Prus.

9, 13, 16, 21, 27, 28 maja 1940

Podczas „łapanki" Polaków kazano niektórym Żydom o rysach aryjskich mówić po żydowsku; służyło to za dowód [że nie jest Polakiem].

14, 16, 20, 22 sierpnia 1940

22 sierpnia. Ukazała się gazeta endecka, w której piszą: „Żydów biją, Polaków zabijają. Żydom dają kilka dni na przeprowadzkę, Polakom w Poznaniu kilka godzin. Żydów aresztują, ale Polaków rozstrzeliwują. Winszujemy wam waszych nowych sojuszników".

6, 7, 8, 9 września 1940

We wrześniu słyszałem o wypadkach, wskazujących na to, że lud żydowski nie daje się łamać, że trwa na swych pozycjach. Na Wielopolu pozwolili wznieść z powrotem hale [targowe] zarówno Żydom, jak i chrześcijanom. Ci ostatni nie byli jednak zadowoleni, bo niektóre hale były z frontu. Zepchnęli więc Żydów na tylną część, gdzie też wkrótce przeniósł się cały handel. I 120 kramów chrześcijańskich zamknięto. Tamci chcieli się zemścić ale Żydzi wpadli na pomysł: wynajęli policjanta niemieckiego, któremu płacą 150 złotych. Przychodzi dwa razy dziennie. Nareszcie nastał spokój. (...)

Z obozów pracy można się oficjalnie wykupić za 10-25 zł, przeznaczonych na zakupienie odzieży dla biednego. Faktycznie idą tylko biedacy.

16 września 1940

Z obozów pracy zwalniają współpracowników instytucji społecznych, rabinów i jedynych żywicieli [rodzin], jak również zatrudnionych na farmach.

17, 19 września 1940

Dziś słyszałem, że od przymusu pracy zwolniono około 1200 rabinów, potomków rabinów itp. Nigdy nie wiedziałem, że w Warszawie jest tylu duchownych i służby synagogalnej.

2, 3, 4, 5 października 1940

Obrazki w tramwaju. Żyd w czapce z daszkiem i czerwoną chustą na szyi odpowiada kobiecie żydowskiej, zwracającej się do niego po polsku: „W żydowskim tramwaju mówi się po żydowsku". Inny odzywa się: „A po hebrajsku?" – „Po hebrajsku także". Stary Żyd wysiada z tramwaju i mówi wszystkim: „Żydzi, szczęśliwego

roku!". Słowem, ludzie czują się swojsko. Jest tylko nie-
co za ciasno. Konduktorzy też ubijają interesy z Żydami:
biorą pieniądze, a nie wydają biletów. Cenniki w restau-
racjach żydowskich muszą być napisane po żydowsku.
Obcokrajowiec bez opaski chciał wsiąść do tramwaju
żydowskiego, ale konduktor nie wpuścił go.

Chrześcijanka chce wsiąść do tramwaju żydowskiego,
nie dają jej więc krzyczy: „Patrzcie no, tramwaj też jest
tylko dla Żydów!". Starsza Żydówka w czepku odzywa
się do dzieci żydowskich: „Tu możecie przecież rozmawiać po żydowsku". Wczoraj zatrzymano tramwaj żydowski i zabrano żydów do robót. Za wpuszczenie do
[żydowskiego] tramwaju chrześcijanina konduktor płaci
1 zł grzywny. Są wypadki, że chrześcijanie chcą właśnie
jechać tramwajem żydowskim. „Nie jestem antysemitą!"
– ktoś woła. Niektórzy Żydzi powiadają: „Doczekaliśmy
się tramwaju z gwiazdą Dawida". Inni dowcipkują: „Nawet z mezuzą!". W getcie w Kutnie, w „Konstancji", odbyła się – za zgodą władz – uroczystość ku czci Herzla
i Żabotyńskiego.

Dużo firm, jak „E. Wedel" i inne, usunęły wywieszki:
„Żydzi niepożądani". Charakterystyczne, że na firmie żydowskiej „Plutos" znajdował się napis „Żydzi niepożądani".

Słyszałem o pewnym Niemcu, który na Hożej na widok Żyda schodzącego z chodnika zapytał go, dlaczego to uczynił. Ujął go za rękę i odprowadził do mieszkania.

12, 13 października 1940

Słyszałem o pewnym oficerze, który wyskoczył z tramwaju na widok uczniów ze szkoły im. Konarskiego napadających na Żydów. Rzucił się za nimi w pogoń i wystrzelił w powietrze. Jak się to skończyło – nie wiem.

23, 24 października 1940

Na Wareckiej 9 pewien Niemiec kontrolował, co Żydzi wynoszą. Każdy przedmiot z oddzielna. Pewien Żyd, pracujący w Gminie Żydowskiej, sprowadził Niemca z Galei i w zamian za wskazanie 40 mieszkań żydowskich z meblami otrzymał za darmo mieszkanie dla siebie, zaś jego meble zawieziono wozem.

1 listopada 1940

Niektórym Żydom udało się zostać cudzoziemcami, Litwinami, Estończykami, Chilijczykami itd. Powiadają, że nie kosztowało to drogo. Tacy Żydzi nie muszą nosić opasek. Poświadczenie obywatelstwa niektórych z nich jest, jak mówią, nieważne, bo obce państwa nie przyznają się [do nich]. Pewna część Żydów obcokrajowców nosi opaski na znak solidarności. W klapach mają oznaki obcych państw. Uratowali oni niejeden majątek. Ostatnio wyjechało wielu obywateli amerykańskich.

8 listopada 1940

Każda instytucja niemiecka posiada swoich żydów, których dobrze traktuje, a innych – źle. Na Dynasach np. jest ktoś, kogo nazywają tam „Mozesem", udaje mu się zwolnić od roboty niejednego Żyda.

11 listopada 1940

Widziano chrześcijan z gwiazdami Dawida. (...)
Wiedeń. Ludność żydowska zmniejszyła się z 180.000 do 48.000, z czego 2/3 stanowią kobiety. 121.000 wyemigrowało, w tym 28.000 do Ameryki Północnej, 11.000 do Południowej i Środkowej, do innych krajów 20.000, do krajów europejskich – 54.000 do Palestyny – 8.000.

Pamiętniki Czerniakowa zwróciły moją uwagę na inne niż w Archiwum Ringelbluma, ale nie mniej ważne aspekty rzeczywistości 1939–1940. Okazuje się, że w postrzeganiu burmistrza warszawskiego getta władza niemiecka stanowi zastępstwo tej uprzedniej, polskiej – prawie jak po wyborach, a nie przegranej wojnie. U Czerniakowa niemal każdy dzień i każda sprawa koncentrowały się wokół wizyty w SS czy Gestapo, uznanie tej nowej, niemieckiej władzy było tak widoczne, że bardziej już nie musiało. Z zapisków wynika, że początkowo Niemcy traktowali Żydów bez opresji – utrudniając niekiedy codzienność, ale zarazem szukając rozwiązań i w wielu sprawach wychodząc naprzeciw. Niejednokrotnie po wizycie u Niemców Czerniaków osiągał zamierzony cel: wypuszczenie Żydów, otrzymanie pożyczki czy dopłaty – burmistrz warszawskiego getta szukał symbiozy i kooperacji z Niemcami, każde naruszenie prawa skutkowało donosem do SS, każda sprawa przechodziła przez Niemców. Nie było, jak nas wyedukowano, że od pierwszego dnia niemieckiej okupacji Żydzi byli non stop mordowani, oddzieleni od okupantów murem zbrodni i nienawiści – przeciwnie, przez długi czas posłusznie wykonywali nakazy nowej, totalitarnej władzy, by osiągać i realizować własne cele.

28 X 1939

Rano gmina. SS. Złożyłem memo o uruchomienie szkolnictwa, o prawach starszego Łodzi, o wypłatę zaległych poborów.

21 XI 1939

Delegacja mieszkańców Nalewki 9 w sprawie aresztowania wszystkich mężczyzn z tego domu. Wieczorem interweniowałem w Gestapo. Należy interweniować u policji polskiej wg oświadczenia komisarza.

1 XII 1939

(...) Rano godzina 8-ma przyniesiono mi opaski z herbem Dawida. Otrzymałem w ten sposób nowe odznaczenie w innych warunkach niż w swoim czasie komandorię węgierską. Poleciłem w Gminie zamówić stempel do odbijania herbu. Praca w biurze niemożliwa. Po pierwsze nie ma jej. Po wtóre muszę ustąpić z zarządu na skutek paragrafu aryjskiego. Z czego będę żył, nie wiadomo. Powiedziałem Zarębskiemu, że się zrzekam. Przyjął mnie Batz. Odmówił wydania ciał. Polecił zrobić listę Żydów, chcących wyemigrować do Ukrainy. Będą, jego zdaniem, mogli wywieźć po 5.000 zł. Pokazałem mu wezwanie do pokoju 45 (Fischer). Wziął wezwanie i polecił nie chodzić.

11 XII 1939

Rano 8.30 Łódzki Bank Depozytowy. Czekam na Bartla. Smutne, że nie mam się kim wyręczyć w takiej sprawie. Jakie żydostwo społeczne jest ubogie. Kiełkuje we mnie idea udania się do Holandii, o ile zezwolą, celem zaaranżowania zbiórki „na rzecz Żydów polskich w general-gubernatorstwie".

2 I 1940

Rano Gestapo. Okazało się, że „rekwirującym" mieszkanie jest niejaki Alfred Paczkowski, Piusa 16a, figurujący jako „Szulc", Wspólna 62. Pono szofer rozwożący czy też wydzielający zupki. SS, któremu się poskarżyłem na rekwizycję mieszkania, obiecało interwencję. Na razie nie chcę wyciągać konsekwencji, które może należałoby w stosunku do „rekwirujących" wyciągnąć.

16 I 1940

Rano Gmina. Przyszedł list z Zurichu w sprawie pomocy odzieżowej i medykamentów [Hilfsaktion fur notleidende Juden in Polen, Zurich – Akcja dla potrzebujących pomocy Żydów w Polsce, Zurich].

24 I 1940

Rano SS w sprawie zwolnienia dra Wortmana. Załatwiono. Również towarzyszyłem rabinowi Alterowi do SS. Wyszedł obronną ręką. Potem biuro (...).

1 II 1940

Rano Ordnungspolizei memo (Regiment IV – Oberstleutnant Daume) w sprawie ekscesów przeciw Żydom. Przed tym Gestapo w sprawie rejestracji do pracy. Tłumy przychodzą o informację do domu. Wezwano mnie na pl. Krasińskich w sprawie opasek – kar za nienoszenie. Wniosłem zażalenie na policjanta, który pobierał w Gminie po kilka złotych od urzędników za 2 Żydów bez opasek.

4 II 1940

Do Żyda z opaską zwraca się ktoś:
– panie poruczniku!
– ja nie jestem porucznik.
– ale pan jest, bo jedna gwiazdka.

16 II 1940

Rano 7 – Gmina. Pochód robotników Gminy (tysiące ludzi) z łopatami przez Marszałkowską. Zwiedziłem kuźnię, w której wyrabiamy szufle i drągi.
O 1 pp. posiedzenie Komisji Zdrowia. Uchwalono zbiórkę mydła etc. SS od Żydów wyjeżdżających za granicę pobiera pewne sumy na rzecz Gminy. Dziś przekazano Gminie przez p. Bermana (przewodniczącego Wydziału Finansowo – Budżetowego) zł 5000 od 10 emigrantów.

20 II 1940

Nad Wisłą opaskę zdjęto Żydowi, że dość pracował i na-
łożono Polakowi.

21 III 1940

Czekam 9 rano na Oberfuhrera Leista[3], do którego mnie
skierował Laschtoviczka. Kilkakrotnie zgłaszała się do
mnie o interwiew jakaś osoba z „Warschauer Ztg". Dziś
ma również się zgłosić. O 1 pp. posiedzenie w sprawie
jazdy do Krakowa.
Leist przyjął mnie. Polecił dać Gminie auto bez pieniędzy.
Przedłożyłem sprawy łapania Zielnej 25. Obiecał zała-
twić. Przedstawiłem finanse Gminy, zwracając uwagę na
ciągłe nowe ciężary. Prosiłem o zwolnienie od rekwizycji
mebli. Polecił wstrzymać tę robotę. Na 2 ½ wezwany
przez Brandta do SS. Richter żąda uruchomienia nowych
azylów dla jeńców i uchodźców.

6 III 1940

Rano SS. Prośba o pożyczkę z funduszu emigracyjnego[4].

---

3   *Ludwig Leist, SA-Oberfuhrer, pełnomocnik szefa dystryktu
na m.st. Warszawę, od września 1941 r. naczelnik Warszawy.*

4   *Fundusz emigracyjny został utworzony ze względu na to, że
w pierwszym okresie okupacji, do kwietnia 1940 r., istniały jeszcze
możliwości wyjazdu Żydów za granicę, przede wszystkim do Palestyny.*

27 III 1940

Kraków, Rano 6-ta wstałem. Przygotowałem mowę.

1. Bezpieczeństwo
2. Gmina – referat
3. Życie gospodarcze, Rechtslage (sytuacja prawna) – Sztolcman,
4. Arbeitsproblem (problemy pracy) – Jaszuński,
5. Gesundheitszustand (stan zdrowotny) – Milejkowski.

Po obiedzie przyjęcie przez dra Arlta[5] i tow. Heinricha[6]. Wypowiedziałem mowę na temat bezpieczeństwa życia i mienia. Opowiedziałem o jednym dniu przeżyć w Gminie i zakończyłem apelem o bezpieczeństwo życia i mienia, wskazując na to, że opaski deklasują Żydów i wskazują przestępcom drogę. Opowiedziałem o pogromach w Warszawie, których nie było od 1880 r. Wreszcie przedstawiłem stan Gminy (finansowy). Arlt co do bicia nie ma wątpliwości. Żołnierze nie odróżnią kobiet lekkich obyczajów, o ile nie mają opaski. Zwrócono mu uwagę, że te o których mowa, opaskę zdejmą. Wskazałem na to, że niektórych zwalniają, że mnie proponowano, abym wniósł podanie do Stadtprasidenta, bo wezwany

---

5   *Dr Fritz Arlt – pełnomocnik generalnego gubernatora i kierownik referatu ds. ludnościowych i opieki zdrowotnej.*

6   *Dr Herbert Heinrich – referent spraw pomocy społecznej i spraw żydowskich w rządzie Arlta.*

np. w nocy nie będę mógł się zjawić, że są zielone opaski, zwalniające żydów, a więc władze uznają niebezpieczeństwo

16 III 1940

(...) O 10-ej posiedzenie Komitetu Pomocy w Magistracie. W Gestapo wyrażono mi współczucie, że mój los jest cięższy od tego, co na ulicy śnieg sprząta.

28 III 1940

(...) Między 12 a 1-szą zadzwoniono do nas, abyśmy się zgłosili do Arlta. Przyjął nas Heinrich i po kolei przyjmował protokolarne zeznania, o tym, co widzieliśmy w Warszawie. Znów poruszyłem sprawę bicia. Postanowiliśmy za zgodą Arlta zostawić na miejscu Sztolcman jako łącznika między nami.

10 V 1940

+13 stopni. Rano Gmina. Wczoraj robotnik żydowski z urzędnikiem sterroryzował kasjera, 4 ła-dunki, 1 wystrzelony na przeciwległy dom. Kasjer wypłacił pewną sumę. Poleciłem Halberowi zameldować o tym w SS. Do prokuratora oddaliśmy urzędników Batalionu za przywłaszczenie.

19 VIII 1940

+15 stopni. Pochmurno. Darcie w starych kościach. W Gminie wiadomość, że rozszerzono dzielnicę niemiecką w Warszawie. Blok ten ograniczony jest lewą stroną Marszałkowskiej (od Królewskiej) do Wisły. W bloku tym mieszka około 20.000 Żydów. Poza tym wyrzuca się Żydów i z innego bloku. Na Pradze pobito w tramwaju Wassermana, urzędnika Gminy. Dziś przybiegli rabini przestraszeni zapowiadanym „pogromem". Ponadto znów przybiegła Rubinsteinowa, błagając o pójście do SS. O 3 pp. byłem w SS, gdzie oświadczono mi, że się zatelefonuje do Ordnungspolizei o wysłanie patroli na Pragę. O Rubinsteinie oświadczono, że żyje i nie wyjdzie teraz. Wobec tendencji zmniejszenia terenu ghetta i tak niewielkiego, zapytaliśmy władze niemieckie o wyjaśnienie i otrzymaliśmy wy-jaśnienie.

31 VIII 1940

+11 stopni. Deszcz. Hexenschuss. Z Heilmannem rozmowa na temat finansów Gminy i JSS. Twierdzi, że 4% od domów i podatki od koncesji niezgodne z prawem. Proponuje od 20.000 płatników stawki podatkowe. Odpowiedziałem, że wydatki Gminy również nieprzewidziane w prawie. Dochodowy podatek zmniejszy wpływy.

Stanęło na tym, że napiszę memo krytyczne.
Do Gminy dzwoniło SS, że turyści zwiedzają Synagogę.
Odbyłem konferencję w sprawie obozów. Zbiera się fundusze na obozy. Wpływ wczorajszy 30.000 zł, dzisiejszy
30.000 zł.

19 IX 1940

+14 stopni. Rano Heilmann. Z Krakowa nic nowego. Są
tylko widoki na zezwolenie sprzedania papierów wartościowych instytucji żydowskich na rzecz JSS.
Po obiedzie u Paemelera. Wobec małej frekwencji do obozów Arbeitsamt stanął na stanowisku, że należy oddać
opornych do Sondergerichtu. Odczytałem wyjątki z raportu Fuerstenberga. Rady obozowe żydowskie handlują
paczkami, przychodzącymi dla robotników. Wyśrubowali
cenę kg chleba z paczek do 6 – 7 – 12 zł. Judenraty prowincjonalne plączą się i wprowadzają chaos. Dziś wysłałem kontrolera do obozu w Cieszanowie.
Złapali dziś urzędniczkę Gminy na ulicy. Po dowiedzeniu
się, że jest Żydówką puszczono ją.

Kolejne miesiące przynosiły kolejne newsy, wspinałem
się do góry i sprawnie poruszałem naprzód – jednym słowem przetrzepałem wszystko, co tylko było do przetrzepania i chyba niewiele rzeczy mi umknęło. Na koniec połączyłem kropeczki i już wiedziałem, co miałem wiedzieć.

Jak to wyglądało? Żydzi, o których pisał Finkelstein, nie poszukiwali prawdy. Była dla nich towarem niechcianym, jak w dowcipie, który krąży wśród kanadyjskiej Polonii. Dzwoni premier Morawiecki do premiera Netanjahu i mówi: mam pomysł na zakończenie waśni między nami: wy przestaniecie o nas kłamać – my przestaniemy mówić o was prawdę. Bohaterowie książki Finkelstein a nie chcieli prawdy – chcieli pieniędzy. Niczego nie budowali i niczego nie tworzyli – zależało im na roszczeniach. Przykład Szwajcarii pokazał, że działali według sprawdzonego schematu. Kiedy upatrzyli ofiarę, najpierw uruchamiali światowe media i włączali starą śpiewkę: „chodzi o sprawiedliwość. Nikt na świecie nie cierpiał tak, jak Żydzi. Holokaustu nie da się porównać z niczym. Nadal będziemy przyjaciółmi. Tylko zapłaćcie".

Potem włączali się politycy i światowe autorytety moralne. Kiedy już grunt został odpowiednio przygotowany, uruchamiali wpływy, zwłaszcza w Stanach Zjednoczonych. Mówienie o tym, że lobby żydowskie za oceanem jest potężne, to ogłaszanie jako własnego odkrycia spraw powszechnie znanych – jak to, że woda jest mokra albo że po nocy następuje dzień. Uruchomienie takiego lobby – finansowego, politycznego, medialnego, nie zapominając o filmowym w Hollywood – ma większe przełożenie na to, co myśli świat, niż wielu mogłoby się wydawać. To walec, który takich Szwajcarów, przecież nie frajerów, zmiażdżył, nim zdążyli policzyć do pięciu. Amerykanie tańczyli jak im zagrali i uruchamiali naciski jako Amerykanie właśnie. Początkowo subtelnie, później bez owijania w bawełnę, do skutku.

My byliśmy następnym celem.

Wiedząc to, co wiedziałem, rozumiałem dobrze, że podpisana przez amerykańskiego prezydenta Justice for Uncompensated Survivors Today Act, znana w Polsce jako Ustawa 447, to nie żarty – i wiedział to każdy, kto potrafił usłyszeć, co w trawie piszczy.

Teraz to my mieliśmy podążyć drogą Szwajcarów. Tyle że od Szwajcarów wyegzekwowano kilka miliardów dolarów – nas szacowano na kilkaset. Realizacja takiego planu w skrajnym wypadku oznaczałaby finis Poloniae, w najlepszym razie – „subtelne" kolonizowanie i wielopokoleniowy drenaż gospodarki. Efekt w sumie podobny, tyle że rozłożony w czasie. Wiedziałem o tym tak dobrze, że nie musiałem już lepiej, i wiedziało o tym grono osób, które podnosiły alarm. Ale inne grono osób, bardziej liczne i zdecydowanie bardziej wpływowe, zrobiło wiele, by ludzie nie zrozumieli istoty tego alarmu. Gdy wracający zza oceanu minister spraw zagranicznych Jacek Czaputowicz dał do zrozumienia, że podpis amerykańskiego prezydenta pod Ustawą 447 znaczy tyle co zeszłoroczny śnieg, nikomu nie przyszło do głowy zapytać, czy przedstawiciele wpływowych środowisk żydowskich od lat zabiegający o ten podpis to zwyczajni idioci. Bo tylko idiota dokładałby tylu starań, by uzyskawszy wszystko, o co zabiegał – nie uzyskać nic. Rozumiałem to dobrze i rozumiał każdy, kto właśnie nie był idiotą, a kto potrafił posłużyć się logiką, zdrowym rozsądkiem i po prostu łączyć kropeczki. Bo na tym to właśnie polegało: wszystkie te elementy, oderwane od siebie, rzeczywiście przedstawiały niewiele – albo nic. Ale zestawione razem jak puzzle w układance ujawniały wszystko.

I nagle do mnie dotarło, że klamka właśnie zapadła i rozumiałem już sens przesłania, które kiedyś słyszałem: dwie najważniejsze chwile w życiu to gdy się rodzisz i gdy zaczynasz rozumieć, po co się urodziłeś. Widziałem to teraz jak na zwolnionym filmie – jak łączą się te pozornie niezwiązane ze sobą wydarzenia i jak się o nich dowiadywałem. Patrząc wstecz na to wszystko widziałem jasno, jak ważne było, by przejść całą tę drogę. Widziałem, jak czasami próbowałem coś skrócić czy przyśpieszyć, ale nie dawało rady i dopiero teraz zrozumiałem, że to dobrze, że tak powinno być, bo potrzebne jest dopełnienie. Trzeba coś przeżyć, żeby coś zrozumieć. Jednym zdaniem – miałem teraz przed oczami całą historię relacji polsko--żydowskich, skąd się co wzięło i dokąd zmierza. To nie była zwyczajna historia, decydująca o takiej czy innej kadencji – ale o następnych pokoleniach. Przypomniałem sobie coś, czego do końca nie zrozumiałem: żyjemy po to, żeby być wspomnieniami innych ludzi. Teraz chyba w końcu to zrozumiałem. Oczywiście miałem świadomość, że wchodzenie na tę ścieżkę, na której przeciwnikiem są Żydzi związani z Przedsiębiorstwem Holokaust, to loteria. Ale zawsze wierzyłem, że już samo przebywanie na właściwej ścieżce jest wartością samą w sobie, bo to droga zmienia ludzi i wszystko wokół – nie cel.

To miała być wojna na dwóch frontach – nie urwałem się z choinki i nie mieszkałem pod lodem, by ulegać złudzeniu, że książka czy film same z siebie zatrzymają międzynarodową intrygę wartą setki miliardów dolarów, a może i coś więcej. Chodziło o to, by dać impuls, pokazać prawdę i poruszyć sumienia. Tylko tyle – ale czy naprawdę tylko tyle?

Dziennikarstwo śledcze to niebezpieczna branża, w której łatwiej o rozdzierające pomyłki niż o oszałamiające sukcesy. Wszyscy to wiedzieli, ale ci, którzy przetrwali w zawodzie, nie rozwodzili się nad porażkami. Wielokrotnie podejmowałem ryzyko, bo wierzyłem w to, co robiłem, i w głębi duszy lubiłem wyzwania – w miarę rozsądku, rzecz jasna. Niejeden raz wkładałem głowę tam, gdzie niewielu włożyłoby rękę, wiedziałem jednak, że tym razem to nie była zwyczajna sprawa i to nie było zwyczajne dziennikarskie śledztwo, lecz coś wyjątkowego. Byłem podekscytowany – ale też zaniepokojony. Uważałem za pewnego rodzaju przywilej, że mogę zająć się tą sprawą – zarazem miałem świadomość, jak poważna i ryzykowna jest to sprawa. Mówiąc krótko – potrzebowałem pomocy.

Z majorem ABW Tomkiem Budzyńskim nie miałem kłopotu – przeszliśmy wspólnie zbyt wiele, by się wahać. Kapitalnie radził sobie w sytuacjach stresowych, był pomysłowy, chętnie podrzucał sugestie i rzecz najważniejsza: był człowiekiem, który nigdy się nie poddawał. Na ewolucję doktor Ewy Kurek, która pokonała długą drogę od filosemityzmu do jego negacji, patrzyłem tak, jak kiedyś na ewolucję Mateusza Birkuta z filmu „Człowiek z marmuru". Ewa to wybitna specjalistka w temacie relacji polsko-żydowskich i w temacie Żydów w ogóle, istna kopalnia wiedzy, ale nie zadzierała nosa. Chciała zrobić coś pożytecznego i dokładała starań. Była jeszcze Violetta Kardynał, utalentowana, doświadczona, obeznana z tematem polska dziennikarka z Toronto, jedna z niewielu znanych mi osób, która postępowała słusznie, ni mniej, ni więcej – zawsze. Sprawa, którą mieliśmy się zająć, była do pewnego stopnia zagadką – nie wiedzieliśmy, czego się spodziewać.

Wierzyłem, że razem potrafimy góry przenosić, tymczasem potknąłem się na pierwszym, niewielkim zresztą, wzniesieniu. Najwyraźniej ktoś chciał – ktoś bardzo wpływowy – by po kilku wystąpieniach w kwestii Żydów utrzeć mi nosa, więc znalazłem się tu, gdzie się znalazłem: w areszcie lotniska Luton z perspektywą ekstradycji albo jeszcze gorzej. Nie spodziewałem się, że będę miał takie kłopoty już na początku drogi – szczerze mówiąc nie było tego w planach. Widziałem teraz wyraźnie przynajmniej jedno: konieczność mentalnego nastawienia się, że to dopiero początek kłopotów. Rzecz jasna ich formy i treści nie byłem w stanie przewidzieć i nawet nie próbowałem tego robić – liczba potencjalnych wariantów zbliżała się do nieskończoności. Zastanawiałem się natomiast, co by się stało, gdyby podobne „przyjemności", jak mnie w UK, spotkały w Polsce dziennikarza z Izraela czy niechby nawet z Wielkiej Brytanii. Jaka byłaby reakcja izraelskich czy brytyjskich władz – i pewnie także międzynarodowej opinii publicznej – gdyby bez podania wyraźnej przyczyny zatrzymano i przeszukano dziennikarza czy jakiegokolwiek innego obywatela któregoś z tych państw, skopiowano jego osobisty notes i zeskanowano osobisty komputer, zabrano telefon, pobrano odciski palców, zrobiono sesję foto i założono kartotekę jak rasowemu bandycie, a potem przesłuchano bez obecności adwokata, zadając serię najbardziej kretyńskich pytań i sugestii, jakie tylko można sobie wyobrazić, na koniec zamknięto na kilka godzin w lotniskowym areszcie? Oczyma wyobraźni widziałem już to oburzenie „Jerusalem Post" czy „New York Times", a i te chlastające po oczach nagłówki o polskim antysemityzmie czy nacjonalizmie – wręcz faszyzmie – jakiego nie zna świat. Mówiąc szczerze nie starczało mi wyobraźni, by pokusić się na przewidywanie, co by się wówczas zadziało. Pandemonium? Armagedon? Może jeszcze gorzej? Dopiero jakiś czas później dowiedziałem się, jak na tę sytuację – bynajmniej niehipotetyczną, a bardzo konkretną – zareagowali przedstawiciele polskich władz.

„W odpowiedzi na pismo z dnia 18 maja 2019 r. skierowane do Ministerstwa Spraw Zagranicznych ws. zatrzymania p. Wojciecha Sumlińskiego na lotnisku w Luton w dniu 11 maja 2018 r. uprzejmie informuję, że po powzięciu wiadomości o zatrzymaniu przekazanej przez pełnomocnika ww., urząd konsularny w Londynie podjął niezwłocznie kroki w celu wyjaśnienia tej sytuacji. Ponadto urząd zwrócił się pisemnie do brytyjskiej Straży Granicznej (Border Force), prosząc m.in. o odniesienie się do zarzutów, które p. W. Sumliński podnosił w swoich wypowiedziach dla mediów. Urząd otrzymał w odpowiedzi stanowisko Border Force, w którym wskazane są procedury i przepisy miejscowego prawa, które zdaniem Border Force umożliwiały podjęte przez nią kroki – zgodnie z brytyjskim prawem każda osoba, która wjeżdża do Wielkiej Brytanii może zostać poddana dodatkowej kontroli przez oficera straży granicznej, polegającej m.in. na zatrzymaniu i przesłuchaniu, przy czym zatrzymanie nie może trwać dłużej niż 12 godzin. Po tym czasie oficer imigracyjny powinien podjąć decyzję, czy osobie zostanie przyznane prawo wjazdu na terytorium Wielkiej Brytanii lub takie prawo zostanie odmówione – Londyn 27 czerwca 2018".

Pismo konsula RP w Londynie Michała Mazurka do dyrektor Jolanty Hajdasz z Centrum Monitoringu Wolności Prasy Stowarzyszenia Dziennikarzy Polskich – bo to była jedyna reakcja przedstawiciela polskich władz na jedyny głos formalnego protestu w tej sprawie! – miało formę oznajmiania , jako odkrycia, spraw powszechnie znanych, ale do sprawy nie wnosiło nic, ale to absolutnie nic i jako takie byłoby nawet śmieszne, gdyby nie było po prostu smutne. Nie spodziewałem się może ryku lwa, jaki pewnie w podobnej sytuacji wydaliby z siebie Izraelici, Brytyjczycy czy generalnie przedstawiciele każdego innego państwa nie na niby, ale przyznaję – że będzie to aż tak cichutki pysk myszy, tego też się nie spodziewałem. Dało mi to do myślenia, bo wiedziałem już, że na wypadek kłopotów – jakichkolwiek kłopotów – zostaniemy z tym sami i na żadne wsparcie ze strony władz naszego kraju nie mamy co liczyć. Przyszło mi na myśl, że, wyruszając na tę wyprawę, jesteśmy jak odkrywcy, o których onegdaj czytałem. Ponoć zimą 1913 w „London Times" pojawiło się ogłoszenie o wyprawie na Antarktydę zamieszczone przez Ernesta Shackletona, badacza polarnego:

„Poszukiwani mężczyźni na niebezpieczną wyprawę. Niskie wynagrodzenie. Siarczysty mróz, wiele godzin w zupełnej ciemności. Powrót niepewny. Honor i uznanie w przypadku powodzenia wyprawy". Zgłosiły się tysiące śmiałków, z których wybrał dwudziestu ośmiu. Historia, która wyłaniała się przed nami, jawiła mi się teraz – z perspektywy lotniskowego aresztu – równie nieprzewidywalnie, z równie „wielkimi" szansami powodzenia. Prawdę powiedziawszy w tamtej chwili nie bardzo wierzyłem, że to może się dobrze skończyć. Trudno się dziwić – nie ruszyłem przecież jeszcze palcem w bucie, a już byłem porządnie sponiewierany. Nawet nie chciałem się zastanawiać, co może wydarzyć się dalej – niemniej ze wszystkich sił odrzucałem ponure myśli. Przypomniałem sobie biblijną historię Naamana, trędowatego wodza wojsk Aramu, który, dowiedziawszy się o cudotwórczej mocy proroka Elizeusza, poprosił o uzdrowienie. Elizeusz nakazał mu obmyć się siedmiokrotnie w rzekach Jordanu, co wzburzyło Naamana – po to przebył długą drogę, by obmyć się w rzece? W czym wody Izraela miały być lepsze od wód Damaszku? Nie rozumiał, że zanurzenie to zawierzenie, ale to nie woda uzdrawia, tylko Bóg . I że trzeba było pokonać całą tę długą drogę pełną trudów, cierpienia i niebezpieczeństw, bo trzeba coś było przeżyć, by coś zrozumieć. Bez skrótów i uproszczeń, bo to droga zmienia człowieka, nie cel, a wszystko jest po coś – i nic nie ginie. Pomyślałem, że potrzeba nam takiej właśnie wiary i uśmiechnąłem się tak, jak człowiek uśmiecha się do wspomnień...

*

Trwałem w zamyśleniu, z którego wyrwał mnie szczęk otwieranego zamka. W drzwiach pojawił się oficer, który mnie przesłuchiwał i który teraz gestem ręki przywołał mnie do drzwi.

– Może pan iść, ale będziemy się panu przyglądać. Takie otrzymaliśmy polecenie – pomyślałem, że nie musiał powiedzieć ostatniego zdania, które w dodatku wygłosił przepraszającym tonem, a jeśli nie musiał, to po co powiedział, co powiedział?

Chyba na zasadzie „mogło być gorzej" przypomniałem sobie historię, którą kiedyś opowiadała mi znajoma. Pamiętałem, że rzecz działa się na lotnisku w Tel Awiwie. No więc znajoma starała się opuścić ten piękny kraj, ale funkcjonariusz straży granicznej najwyraźniej się uparł, by jeszcze w nim jakiś czas pozostała. Historia na zasadzie: łatwiej przylecieć niż wrócić. Zbliżał się czas odlotu, a ten non stop swoją śpiewkę – gdzie była, co robiła, z kim rozmawiała i tak bez końca. I gdy już wyczerpały się wszystkie tematy i wydawało się, że znajoma będzie mogła przejść dalej – a czas był po temu najwyższy – funkcjonariusza nagle olśniła jakaś myśl i zadał ostatnie, podchwytliwe pytanie: a jakimi liniami pani do nas przyleciała?

– Luftwaffe – odparła szybko znajoma, patrząc na zegarek, i w tym momencie zmartwiała, bo zrozumiała, że w takim miejscu i w takich okolicznościach przyrody różnica pomiędzy Luftwaffe a Lufthansą to jak odlecieć a nie odlecieć. Nie pamiętałem, jak zakończyła się ta historia, ale chyba słabo, bo znajoma deklarowała, że prędzej złączą się dwie palmowe niedziele, nim jeszcze kiedyś poleci do Izraela. Rozumiałem ją teraz dobrze, bo jako antysemita, po takich przygodach w Londynie nawet w sytuacji, w której moja wyobraźnia wyrabiałaby nadgodziny, nie próbowałbym sobie wyobrazić, jakie niespodzianki czekałyby mnie w Tel Awiwie.

Pobrałem skonfiskowane rzeczy i spojrzałem na tarczę zegarka. Wskazywała piątą po południu. Pochłonięty dyskomfortową sytuacją, przeszukaniem, przesłuchaniem i zatrzymaniem, a potem rozmyślaniem, nie zauważyłem nawet, jak minęło siedem godzin. Zmitrężyłem pół dnia na dowodzeniu, że nie jestem wielbłądem, ale przecież mogło być gorzej, bo ostatecznie zostałem wpuszczony na terytorium Wielkiej Brytanii. Idąc tropami wskazanymi przez oficera byłem więc inwigilowany – i wolny. Snując wizję przyszłości, zastanawiałem się teraz, czy mamy jakąś szansę w potyczce z przeciwnikiem, którego próbkę możliwości właśnie odczułem na własnej skórze – jakąkolwiek szansę. Cóż mogę powiedzieć?

Nie były to wesołe myśli.

***

Wyłączyłem kamerę.

Nie wierzyłem własnym oczom. Na ludzkiej twarzy wypisane jest wszystko wstecz – tymczasem na widocznej w nagraniu twarzy Wojtka wypisane były zarówno zmęczenie, jak i stres, i te dwie rzeczy – najwyraźniej – zrobiły z niego desperata.

W trakcie służby w lubelskiej delegaturze ABW widziałem takie rzeczy setki razy, tak często, że nie potrzebowałem już częściej. W tamtej chwili tylko szaleństwem potrafiłem sobie wytłumaczyć, że powiedział to wszystko – do kamery.

Pierwsza myśl: uciekać. Ale rozsądek zwyciężył. Zacząłem się zastanawiać, w czym tkwił sekret tego nagrania. Myślałem o długiej i niełatwej drodze, którą razem pokonaliśmy. Na początku nie wiedzieliśmy, co właściwie badać, więc sprawdzaliśmy wszystko. Podczas pracy nad książką i filmem „Powrót do Jedwabnego" pokonaliśmy razem wiele przeszkód i chyba niewiele rzeczy pominęliśmy. Wytrwanie na ścieżce, na której wciąż tkwiliśmy, wymagało dużego nakładu pracy, ale w tej rozgrywce chodziło nie tylko o nakład pracy, poświęcony czas, zagrożoną reputację czy nawet wolność – lecz także o to, że tak naprawdę nie potrafiliśmy ocenić ryzyka, bo nie mieliśmy pojęcia, z czym się mierzymy. Nie mogliśmy wykluczyć, że ryzykujemy wszystko, a ta świadomość musiała wywrzeć wpływ na stan naszych nerwów – i wywierała. Tak naprawdę problemy przy pracy nad książką i filmem zaczęły się już w momencie, w którym obwieściliśmy tytuł: „Powrót do Jedwabnego". W Stanach Zjednoczonych zaprosiliśmy do współpracy wybitnych fachowców, operatorów i filmowców, którym – pod okiem Violetty Kardynał – zleciliśmy pewien zakres prac. Pewnego dnia byliśmy gotowi, by rozpocząć zdjęcia. Przygotowywaliśmy się do tej chwili przez wiele miesięcy. I wtedy przyszła informacja, że amerykańscy partnerzy się wycofują. Zniknęli tak, jakby ich w ogóle nie było i nigdy już nie wrócili – bez wstępów i tłumaczeń. Niektórzy wspólni znajomi twierdzili później, że zastraszono ich procesami. Inni, że zapłacono im, by zostawili nas na lodzie. Jeśli idzie o mnie, byłem skłonny uwierzyć, że zaszła tu kompilacja obu tych metod. Zupełnie jak w mafii, gdzie mówi się, iż przystawionym do głowy pistoletem i dobrym słowem zawsze można uzyskać więcej niż tylko dobrym słowem. Tak czy inaczej zostaliśmy z niczym – a potem było już tylko gorzej...

Robiliśmy, co w naszej mocy, by ci, którzy szukają prawdy, mogli ją dostać, tymczasem osiągnęliśmy tak niewiele, a i tak znaleźliśmy się na celowniku.

Zacząłem się zastanawiać, czy o tym właśnie myślał mój kolega, gdy wręczał mi płytę z nagraniem i prośbą, bym ją obejrzał i zdeponował „w bezpiecznym miejscu, bo nie wiadomo, co przyniesie los"?

A potem zacząłem się zastanawiać nad swoim życiem. Czym było i jest – czy tylko pasmem przecinających się przypadków i wyborów?

Byłem jednym z tak wielu, którzy zabiegają o bzdury – nic nieznaczące etykietki. Byłem „wielkim" majorem Agencji Bezpieczeństwa Wewnętrznego z dostępem do wszystkich możliwych tajemnic państwowych i naj-

bardziej tajnych informacji oraz wiedzy o tuzach tego
– i nie tylko tego – kraju, która nie mieściłaby się w głowie większości ludzi, jakich znam. Zostałem szefem jednej z największych delegatur służb specjalnych w Polsce,
któremu podlegało kilkuset oficerów i funkcjonariuszy
ABW, że nie wspomnę o rozległej agenturze, nauczyłem
się znaczenia słowa „sukces", a potem słowa „upadek",
by w konsekwencji doznać cudu zmartwychwstania, zrozumieć, co znaczy „druga szansa" – i zacząć życia od
nowa. Po przekroczeniu pięćdziesiątki zacząłem wreszcie
rozumieć, o co w tym wszystkim chodzi i co jest naprawdę ważne – późno, ale, jak powiadają, „lepiej późno niż
wcale". I wiedziałem już, że w dalszym życiu nie spotka
mnie już nic lepszego ani nic gorszego niż dotąd spotkało – i wtedy przestałem się bać czegokolwiek, ciesząc się
każdym budzącym się do życia porankiem...
W młodości byłem egoistą – większość w tym wieku
jest. Potem człowiek popadł w rutynę, by po przekroczeniu pewnej niezauważalnej granicy – to paradoks, że
często najważniejsze rzeczy dzieją się niezauważalnie
– zacząć się zastanawiać, o co w tym wszystkim chodzi
i by na progu starości dojść do wniosku, że najważniejsze
to zostawić po sobie świat choćby odrobinę lepszym niż
ten, który się zastało, jednym słowem – zostawić po sobie jakiś ślad. Być może to dlatego starsi ludzie powiadają,
że gdyby dostali szansę na nowe życie, wszystko zrobiliby
inaczej – ponieważ zrozumieli już, co jest naprawdę ważne.

Trzeba coś przeżyć, by coś zrozumieć.

Zastanowiłem się nad słowami Violetty Kardynał z nagrania Wojtka, gdy mówiła o tym, że przychodzimy na ten świat i odchodzimy z pustymi rękami.

Pomyślałem, że miała rację – ale nie do końca...

Uśmiechnąłem się na to wspomnienie, jak tylko człowiek może uśmiechać się do wspomnień – i włączyłem kamerę.

A potem odwróciłem ją i skierowałem obiektyw w swoją stronę.

ROZDZIAŁ II
NIEBEZPIECZNE
KŁAMSTWA GROSSA

Pamiętacie te wszystkie autorytety moralne, które przepraszały za Jedwabne? Zaczął ówczesny prezydent Polski Aleksander Kwaśniewski, facet, który łgał, że jest magistrem i nawet nad grobem pomordowanych Polaków w Charkowie zataczał się pijany jak nieboskie stworzenie, a i tak dla wielu pozostał guru – a potem już poszło. Ani się obejrzeliśmy, jak o rzekomo polskiej zbrodni w Jedwabnem wiedział już cały świat. O Katyniu słyszeli tu i ówdzie, o Jedwabnem – wszyscy. Akcja uszyta na miarę. O Polsce zrobiło się głośno, ale nie tak, jakbyśmy tego chcieli – chlastali nas do bólu. Nazywali antysemitami, a nawet nazistami. Każdego dnia pojawiały się nowe kłamstwa. Dla tych, dla których Polska była ważna, a którzy obserwowali to z szerszej perspektywy, był to przygnębiający widok. W Polsce nie zdawaliśmy sobie wówczas sprawy, jak szeroko to poszło, sam też dowiedziałem się o tym dopiero dużo później, gdy zacząłem jeździć tu i ówdzie. Prawda była taka, że nie było czego zbierać. Powiedzieć, że odkręcenie tego trendu po latach stanowiło wyzwanie, to tyle, co nic nie powiedzieć – to byłoby coś na miarę przekonania naszych odległych praprzodków, że ziemia nie jest płaska. Świat kupił łgarstwa Grossa o Jedwabnem, bo ktoś bardzo zadbał – kto? – by wręcz same się sprzedawały. Pamiętam swoje zaskoczenie, gdy po raz pierwszy odkryłem nie tylko same kłamstwa, ale też rangę, na jaką wywindowano całe to tragiczne wydarzenie. Było to wtedy, gdy intensywnie pracowaliśmy już nad książką i gdy właściwie codziennie rozmawiałem z Ewą Kurek.

– Wiesz, ile osób ginęło dziennie w Polsce w czasie wojny? – zagadnęła któregoś razu.

Z mojego punktu widzenia pytanie było porażające w swojej prostocie, bo choć przez całe zawodowe życie byłem związany ze służbami specjalnymi – Urzędem Ochrony Państwa, a potem Agencją Bezpieczeństwa Wewnętrznego – to z wykształcenia jestem historykiem, a odpowiedź na takie pytanie znało każde dziecko. Kwestia brutalnej matematyki.

– Ponad milion każdego roku wojny, trzy tysiące każdego dnia – odparłem krótko.

– Każdego dnia przez pięć i pół roku Niemcy mordowali w Polsce trzy tysiące osób. Każdego ranka trzy tysiące budziło się po raz ostatni. Tamtego dnia, 11 lipca

1941, ponad dwieście straciło życie w jednym miejscu – w Jedwabnem. Z punktu widzenia brutalnej statystyki czasu okupacji było to tylko jedno z wielu tragicznych wydarzeń – podsumowała. – Czy zastanawiałeś się kiedyś, dlaczego właśnie temu wydarzeniu nadano taką rangę, że jak żadne inne stało się znakiem rozpoznawczym Polski?

– Do czego zmierzasz? – zapytałem zaintrygowany.

– Wyobraź sobie, że nigdy nie słyszałeś o zbrodni w Jedwabnem i teraz dopiero o niej słyszysz, a jednocześnie dowiadujesz się, jak to przedstawiano. Jesteś wolny od całej tej otoczki, manipulacji, nacisków, poprawności, kłamstw. Przyjrzyj się temu wydarzeniu z dystansu, jak historyk właśnie – co zobaczysz?

Uruchomiłem całą empatię, na jaką tylko było mnie stać, ale moja wyobraźnia nie musiała wyrabiać nadgodzin, bym zobaczył to, co dostrzegłby każdy, przeprowadzając podobne ćwiczenie: że oszukano mnie – oszukano wszystkich. Wmówiono nieprawdziwą liczbę ofiar, zafałszowano przebieg wydarzeń i samą rangę zbrodni – wszystko tu było oszustwem.

– To teraz zastanów się, ilu z tych, którzy kłamią, wie to, co my wiemy teraz. A potem rozważ, jak to możliwe, że mimo iż wiedzą, wciąż kłamią i konsekwentnie w kłamstwie trwają. Jak myślisz, dlaczego to robią? – spytała Ewa, ale nie czekała na moją odpowiedź. – Wyjaśnienie znajdziesz tam, dokąd zmierzasz – odkrywając to, co naprawdę stało się w Jedwabnem.

Nie wiem, dlaczego właśnie ten krótki dialog wyrwał mnie z letargu, w którym od jakiegoś czasu tkwiłem. W owym czasie prowadziliśmy przecież wiele podobnych. Być może dla kogoś innego taka rozmowa byłaby niczym – dla mnie, w owym czasie, była wszystkim. Przebudzeniem. I jeszcze kompasem, bez którego prędzej czy później schodzi się z kursu. Dla mnie była to pamiętna chwila. Od tego czasu nasza praca nabrała niezwykłego tempa – najwyraźniej potrzebowałem takiego ukierunkowania. Chcecie wiedzieć, jak to wyglądało? O sukcesie lub jego braku w zagmatwanych sprawach, w których wszystko jest zakryte i nie ma prostych dróg, decydują możliwości, również te odrzucane. Po raz kolejny musieliśmy więc nauczyć się odróżniać prawdę od jej pozorów – takich rzeczy człowiek uczy się całe życie – i fakty od przypuszczeń, które są królową pomyłek. Pracowaliśmy według zasady „nie wszystko złoto, co się świeci", ale też z uwzględnieniem maksymy „złoto znajduje ten, kto wie, gdzie szukać". Nie patrzyliśmy na godziny pracy, bo nie było godzin pracy. Sześć, a niekiedy siedem dni w tygodniu, od świtu do zmierzchu, przekopywaliśmy się przez megabity informacji i stosy materiałów, uzupełnianych tygodniami analiz i dziesiątkami spotkań. Oczywiście bywało, że mieliśmy wszystkiego dość, ale cóż było robić? Powtarzaliśmy sobie zasadę: „nie poddawaj się blisko cudu, bo jak się poddasz, nie dowiesz się, że cud był blisko" i parliśmy naprzód. Nasze archiwum się rozrastało, więc rozrósł się też nasz zespół. I po kilku miesiącach takiej pracy byliśmy gotowi, by połączyć kropeczki.

Opowiem wam teraz, co naprawdę wydarzyło się w Jedwabnem – od samego początku, bez wstępów i upiększeń. Bo tu nie chodzi o żadne oczyszczenie, przebaczenie czy rozgrzeszenie, lecz – zrozumienie.

Wszystko zaczęło się po napaści Niemców na sowieckich sojuszników, na przełomie czerwca i lipca 1941. Jedwabne było niewielkim malowniczym miasteczkiem, położonym wśród lasów i pól, w którym życie toczyło się wolno i leniwie, aż do lata 1941, kiedy wszystko się zmieniło, kiedy Polacy ukazali swoje prawdziwe oblicze i ukrywany wcześniej stosunek do żydowskich sąsiadów.

Oddajmy głos jednemu z nich:

„W Jedwabnem do wybuchu wojny żyło 1600 Żydów, z których uratowało się tylko 7, przechowanych przez Polkę Wyrzykowską, zamieszkałą niedaleko miasteczka. W poniedziałek wieczorem, 23 czerwca 1941 r., Niemcy wkroczyli do miasteczka.

Już 25 [czerwca] przystąpili swojscy bandyci, z polskiej ludności, do pogromu Żydów. 2 z tych bandytów, Borowski (Borowiuk) Wacek ze swoim bratem Mietkiem, chodząc razem z innymi bandytami po żydowskich mieszkaniach, grali na harmonii i klarnecie, aby zagłuszyć krzyki żydowskich kobiet i dzieci. Ja własnymi oczami widziałem, jak niżej wymienieni mordercy zamordowali:

1. Chajcię Wasersztejn, 53 lat,
2. Jakuba Kaca, 73 lat
3. Krawieckiego Eliasza.

Jakuba Kaca ukamienowali oni cegłami, a Krawieckiego zakłuli nożami, później wydłubali mu oczy i obcięli język. Męczył się nieludzko przez 12 godzin, dopóki nie wyzionął ducha.

Tego samego dnia zaobserwowałem straszliwy obraz: Kubrzańska Chaja, 28 lat, i Binsztejn Basia, 26 lat, obie z niemowlętami na rękach, widząc, co się dzieje, poszły nad sadzawkę, woląc raczej utopić się wraz z dziećmi, aniżeli wpaść w ręce bandytów. Wrzuciły one dzieci do wody i własnymi rękami utopiły, później skoczyła Binsztejn Baśka, która poszła od razu na dno, podczas gdy Kubrzańska Chaja męczyła się przez kilka godzin. Zebrani chuligani zrobili z tego widowisko, radzili jej, aby się położyła twarzą do wody, a wtedy to się szybciej utopi; ta, widząc, że dzieci już utonęły, rzuciła się energiczniej do wody i tam znalazła śmierć.

Nazajutrz ksiądz zaczął interweniować, aby wstrzymali pogrom, tłumacząc, że niemiecka władza sama zrobi już porządek. To poskutkowało i pogrom został wstrzymany.

Od tego dnia okoliczna ludność przestała sprzedawać produkty żywnościowe, wskutek czego położenie Żydów stało się coraz cięższe. W międzyczasie rozpowszechniono pogłoskę, że Niemcy wkrótce wydadzą rozkaz zniszczenia wszystkich Żydów. Taki rozkaz został wydany przez Niemców 10 VII 1941 r. Mimo że taki rozkaz wydali Niemcy, ale polscy chuligani podjęli go i przeprowadzili najstraszniejszymi sposobami – po rożnych znęceniach i torturach spalili wszystkich Żydów w stodole. W czasie pierwszych pogromów i podczas rzezi odznaczyli się okrucieństwem niżej wymienieni wyrzutki:

1. Śleszyński,
2. Karolak,
3. Borowiuk (Borowski) Mietek,
4. Borowiuk (Borowski) Wacław,
5. Jermałowski,
6. Ramotowski Bolek,
7. Rogalski Bolek,
8. Sielawa Stanisław,
9. Sielawa Franciszek,
10. Kozłowski Geniek,
11. Trzaska,
12. Tarnacki Jerzyk,
13. Laudański Jurek,
14. Laciecz Czesław.

10 VII [19]41 r. rano przybyło do miasteczka 8 gestapowców, którzy odbyli naradę z przedstawicielami władz miasteczka. Na pytanie gestapowców, jakie mają zamiary w stosunku do Żydów, to wszyscy jednomyślnie odpowiedzieli, że trzeba wszystkich zgładzić. Na propo-

zycję Niemców, ażeby z każdego zawodu zostawić przy życiu jedną rodzinę żydowską, obecny miejscowy stolarz Śleszyński Bronisław odpowiedział: „Mamy dosyć swoich fachowców, musimy wszystkich Żydów zgładzić, nikt z nich nie może zostać żywym". Burmistrz Karolak i wszyscy pozostali zgodzili się z jego słowami. Postanowiono wszystkich Żydów zebrać w jedno miejsce i spalić. Do tego celu oddał Śleszyński swoją własną stodołę, znajdującą się niedaleko miasteczka. Po tym zebraniu rozpoczęła się rzeź. Miejscowi chuligani, wszyscy uzbrojeni w siekiery, w specjalne kije – w których były nabite gwoździe – i inne narzędzia zniszczenia i tortur, wypędzili wszystkich Żydów na ulicę. Jako pierwsze ofiary swoich diabelskich instynktów wybrali 75 najmłodszych i najzdrowszych Żydów, którym kazali podnieść z miejsca i zanieść wielki pomnik Lenina, którego w swoim czasie Rosjanie postawili w centrum miasteczka. Było to niemożliwie ciężkie, ale pod gradem strasznych uderzeń musieli jednak Żydzi to zrobić. Niosąc pomnik, musieli jeszcze do tego śpiewać, a przynieśli go na wskazane miejsce. Tam zmuszono ich do wykopania dołu i wrzucenia pomnika. Po tym ci sami Żydzi zostali zakatowani na śmierć i wrzuceni do tego samego dołu. Drugim znęcaniem się było: mordercy zmusili każdego Żyda do wykopania grobu i pogrzebania poprzednio zabitych Żydów, później ci z kolei zostali zamordowani i pochowani przez innych. Trudno jest do odzwierciedlenia wszystkich okrucieństw chuliganów i trudno jest znaleźć w historii naszych cierpień coś podobnego. Spalano brody starych Żydów, zabijano niemowlęta u piersi matek, bito morderczo i zmuszano do śpiewów, tańców itp. Pod koniec przystąpiono do głównej akcji – do pożogi. Całe miasteczko zostało otoczone przez straż, tak że nikt nie mógł uciec, później ustawiono wszystkich Żydów po 4 w szeregu, a rabina, powyżej 90 lat Żyda, i rzezaka postawili na czele, dano im czerwony sztandar do rąk i pędzono ich, śpiewających, do stodoły. Po drodze chuligani bili ich bestialsko. Obok bramy stało kilku chuliganów, którzy grając na rożnych instrumentach, starali się zagłuszyć krzyki nieszczęśliwych ofiar. Niektórzy z nich próbowali się bronić, ale byli bezbronni. Pokrwawieni, skaleczeni zostali wszyscy wepchnięci do stodoły. Potem stodoła została oblana benzyną i podpalona, po czym poszli bandyci po żydowskich mieszkaniach, szukając pozostałych, chorych i dzieci. Znalezionych chorych zanieśli sami do stodoły, a dzieci wiązali po kilka za nóżki i przytaszczali na plecach, kładli na widły i rzucali na żarzące się węgle. Po pożarze z jeszcze nierozpadłych ciał wybijali siekierami złote zęby z ust i na różne sposoby zbezcześli ciała świętych męczenników".

Podsumujmy. 25 czerwca, dwa dni po nadejściu Niemców, polscy bandyci zamordowali w Jedwabnem troje pierwszych Żydów. Ukamieniowali cegłami, zakłuli nożami, wydłubali oczy, obcięli język. Widząc, jak straszny czeka je los, dwie kolejne Żydówki z niemowlętami na rękach rzuciły się do sadzawki, topiąc dzieci, potem siebie – bo wszystko było lepsze niż wpaść w ręce Polaków. Nazajutrz głos zabrał ksiądz, który wyjaśnił, że dalszy pogrom jest bezcelowy, a może nawet bezsensowny, bo niemiecka władza sama zrobi z Żydami porządek. Poskutkowało. Mordowanie przerwano, ale od tego dnia Polacy przestali sprzedawać Żydom jedzenie, skazując liczącą tysiąc sześćset osób żydowską społeczność Jedwabnego na głód i trudny los. 10 lipca 1941 Polacy dokończyli, co zaczęli.

Jak to wyglądało?

Tego dnia, rankiem, do miasteczka przyjechało ośmiu gestapowców, którzy naradzali się z miejscowymi władzami. Na pytanie Niemców, jakie Polacy mają zamiary, odpowiedź była zgodna: wszystkich Żydów trzeba zabić. Niemcy oponowali, ale tylko trochę. Sugerowali, by pozostawić przy życiu pojedynczych Żydów, jedną rodzinę na każdy zawód, oczywiście ze względów praktycznych – ale Polacy zaprotestowali. Byli okrutni i nieprzejednani. Bronisław Śleszyński, miejscowy stolarz, wyjaśnił dlaczego: „Mamy dość swoich fachowców, wszystkich Żydów musimy zgładzić, nikt nie może zostać żywym”. Burmistrz Karolak i pozostali byli podobnego zdania, a w tej sytuacji jedyną nierozstrzygniętą kwestią pozostało nie „czy”, tylko „jak”. Postanowiono Żydów zebrać w jedno miejsce i spalić. Śleszyński poświęcił się do tego stopnia, że zgodził się oddać na spalenie własną stodołę, opodal Jedwabnego – a potem rozpoczęła się straszna rzeź, jakiej nie znał świat. Wyróżniło się w niej zwłaszcza czternastu polskich morderców. Miejscowi chuligani, uzbrojeni w siekiery i kije z gwoździami wypędzili wszystkich Żydów na ulicę. Wybrali ofiary, na początek te najzdrowsze. Kazali siedemdziesięciu pięciu Żydom przenieść wielki pomnik Lenina, który postawili Rosjanie. Zadanie było ponad ludzkie siły, ale pod gradem straszliwych uderzeń Żydzi musieli robić to, co po ludzku wydawało się niemożliwe. Idąc z pomnikiem, musieli jeszcze śpiewać – i tak dotarli na miejsce śmierci. Ale nie pozwolono im umrzeć od razu. Najpierw musieli wykopać głęboki dół, następnie przenieśli tam pomnik Lenina i dopiero kiedy uporali się z tym wszystkim, Polacy pozbawili ich życia – zakatowali ich w straszliwy sposób po prostu, by na koniec, już martwych, wrzucić do dołu. A był to dopiero początek kaźni, która zdawała się nie mieć końca. Starym Żydom przypalano brody, niemowlęta zabijano u piersi matek, twardzi i nieczuli Polacy biegali bez wytchnienia, mordując kogo popadnie, na koniec przystąpili do strasznej pointy – pożogi. Miasteczko obstawiono tak, że i mysz nie mogła się prześlizgnąć, pozostałych przy życiu Żydów ustawiono po czterech w szeregu – rabina i rzezaka obdarowano czerwonym sztandarem i postawiono na czele pochodu. I tak popędzono wszystkich do stodoły. Niektórzy próbowali walczyć, ale bez broni nie mieli szans. Pokrwawionych i poranionych wepchnięto do stodoły, którą następnie oblano benzyną, na koniec podpalono. To było istne piekło. Ale nawet to nie wystarczyło okrutnym oprawcom. Kiedy stodoła już płonęła, rozbiegli się po Jedwabnem, szukając ocalałych do tego momentu Żydów, w tym chorych i małych dzieci. Znalezionych Polacy wiązali, kładli na widły i rzucali na żarzące się jeszcze węgle. A gdy zgliszcza już ostygły, z nierozpadłych ciał mordercy wybijali siekierami złote zęby i bezcześcili szczątki świętych męczenników.

Tę wstrząsającą relację 5 kwietnia 1945 przed przewodniczącym Wojewódzkiej Żydowskiej Komisji Historycznej Menachemem Turkiem złożył w języku jidysz mieszkaniec Jedwabnego, dwudziestodwuletni Szmul Wasersztajn. Ponad pół wieku później poznaliśmy ją w rozbudowanej formie – jako książkę autorstwa żydowskiego socjologa i fizyka Jana Tomasza Grossa, dziś emerytowanego profesora historii na Uniwersytecie w Princeton w New Jersey. Powiedzieć, że książka stała się światowym bestsellerem to tyle, co nic nie powiedzieć. Była czymś więcej niż tylko książką – wydarzeniem na skalę globalną. Przyczyną gigantycznego sukcesu nie były jednak wartości literackie czy wyniki badań, ale temat, który precyzyjnie trafił w swój czas: odpowiedzialność za Holokaust i uczestnictwo Polaków w eksterminacji Żydów. Światowa opinia publiczna sądziła, że poznała prawdę o Polakach „ludożercach", ale tak nie było. Pamiętne i tragiczne wydarzenia, które rozegrały się 10 lipca 1941 w Jedwabnem, miały inny przebieg, niż przedstawił to Szmul Wasersztajn. Zamiast rzecz uczciwie zbadać i w konsekwencji uznać istnienie innej wersji, Jan Tomasz Gross wylansował wyssaną z palca teorię – jedno z największych kłamstw o Polsce opowiedzianych światu. Znamy je pod nazwą „Sąsiedzi" – historyjka niepoparta niczym konkretnym, prócz wyobraźni autora. To straszna i niezwykła teoria. Każdy uczciwy badacz czy historyk powie wam, że w historii nie było równie absurdalnej teorii opartej o tak niewiele, w wyniku której wykreowano tak wiele. Oczywiście znaleźli się tacy, którzy próbowali ją udowodnić. Czemu nie? W końcu uwierzył w nią cały świat. Ale świat uwierzył także i w to, że powstanie w warszawskim getcie było Powstaniem Warszawskim. Jeżeli z powstania Żydów z kwietnia 1943, w którym wzięło udział dwustu ludzi, udało się w oczach świata zrobić Powstanie Warszawskie z sierpnia 1944, w którym walczyły i ginęły dziesiątki tysięcy żołnierzy Armii Krajowej i jeszcze ludność wielkiego miasta – i świat uwierzył, że było to jedno i to samo żydowskie powstanie, to znaczy, że wszystko można.

Jaka jest prawda o książce Grossa?

To było dobrze pomyślane, trafiło na podatny grunt i budziło emocje – tyle że nie miało wiele wspólnego z prawdą. Ludzie znający sprawę wiedzą o tym dobrze.

Norman Finkelstein, autor „The Holocaust Industry",
nazwał pracę Grossa karykaturą komiksów przybliża-
jących amerykańskiemu czytelnikowi znanych myślicieli
lub jakieś idee, powstałą na zamówienie pewnych środowisk amerykańskich Żydów. Rzecz w tym, że tę straszli-
wą bajkę o Polakach mordercach, okrutnych bardziej niż
najbardziej okrutni Niemcy, poznał świat i ,co gorsza,
świat w tę bajkę uwierzył. Rzecz w tym, że to piętno ma
swoje konsekwencje i właśnie zaczęło zbierać żniwo.

By dowieść kłamstw Grossa, musimy wykazać, że, pra-
cując nad książką „Sąsiedzi", manipulował i kluczył.
W tym celu pokażemy, że dobierał informacje pod z góry
przyjęte tezy, przy jednoczesnym ignorowaniu tych, które tezom przeczyły.

Ponadto wykażemy, że Jan Tomasz Gross najważniejsze
fakty w ogóle pominął. Po części świadomie, po części
dlatego, że ich nie znał – o proporcjach wie tylko on.
Wiadomo jedno: że gdy je ponad wszelką wątpliwość poznał – wciąż kłamał.

Opinia publiczna nie wie o tym wszystkim, ponieważ za-
tajono przed nią to, co jest jej własnością – prawdę.

Dla Jana Tomasza Grossa sprawa była prosta: wielu polskich katów – tysiąc żydowskich ofiar. Ale fakty wyklu-
czają taką wersji zdarzeń. Zacznijmy od dowodów, które
w ogóle nie znalazły odzwierciedlenia w książce Grossa. Gdy ją wydawał, leżały zawieruszone, w zapomnianym archiwum, na zakurzonej półce Sądu Rejonowego

w Łomży, do której nikt nie sięgał od dziesięcioleci. Zapoznał się z nimi dopiero Leszek Kocoń, kierownik Archiwum Państwowego w Łomży, gdzie akta te przekazano z sądu, ale wtedy trwało już pandemonium.

Opinia publiczna, która początkowo zamarła z przerażenia, gdy dowiedziała się o niesłychanej zbrodni, właśnie wydobywała z siebie głos rosnącego oburzenia. Zszokowane światowe media prześcigały się w sensacyjnych doniesieniach oraz w odmienianiu słowa „Polacy" przez wszystkie możliwe przypadki, do bólu chlastając nie tylko mieszkańców Jedwabnego, ale wszystkich ich rodaków bandytów. W Polsce telewizja i prasa też miały używanie, z niezastąpioną w takich razach „Gazetą Wyborczą" na czele i równie niezastąpionym prezydentem Aleksandrem Kwaśniewskim, który zdążył już przeprosić za Jedwabne, a wyznaczonymi przez niego tropami właśnie podążali wszyscy święci, na wyścigi przepraszając, odznaczając i zapraszając autora bestsellerowej książki. Okrzyknięcie kłamcy bohaterem i przyjęcie wersji nieomal bez jakiejkolwiek weryfikacji zahaczało o zdradę. Tak zaczęła się rodzić legenda o morderczym narodzie i o tym, że podczas II wojny światowej Żyd, spotkawszy Polaka, nie miał szans na przeżycie – przy Niemcu miał całkiem spore.

Kto w takiej sytuacji pochyli się nad odkryciem dyrektora podrzędnego archiwum w Łomży? Nikt. Milczenie było na rękę wszystkim ówczesnym decydentom, w Polsce i poza Polską. Kocoń musiał rozumieć, jak ważnego, a zarazem niebezpiecznego dokonał odkrycia, ale mógł pisać tylko zażalenie do Pana Boga albo na przysłowiowy Berdyczów. Czy można się dziwić, że także autor przypadkowego odkrycia zainspirowanego właśnie książką Grossa – bo to pod wpływem wskazanych tam tez rozpoczęto w całej Polsce grzebanie w zapomnianych zakamarkach wielu archiwów – poza skromną konferencją prasową, która nie odbiła się większym echem w Polsce i absolutnie żadnym w świecie, nie wszczął wielkiego alarmu? A kto w takich realiach zrozumiałby jego istotę? Kto nie nazwałby go antysemitą? Żeby opowiedzieć o jego niezwykłym odkryciu, trzeba zanurzyć się w przeszłość i sięgnąć do zapomnianych dokumentów, które mówią więcej niż słowa.

Pierwszym ogniwem w łańcuchu zdarzeń inicjujących śledztwo w sprawie zbrodni w Jedwabnem był list wysłany przez Całkę Migdała, który dwa lata przed wybuchem II wojny światowej wyemigrował do Urugwaju, zostawiając w Jedwabnem matkę i siostrę z rodziną. 29 grudnia 1947 list dotarł do Centralnego Komitetu Żydów w Polsce. Całka Migdał informował, że w lipcu 1941 wszyscy jego bliscy zostali zamordowani w Jedwabnem przy udziale Polaków, o czym dowiedział się od jednego z ocalonych. Wskazywał, że świadkiem wydarzeń był Józef Grądowski. To właściwie wszystko, co wiadomo o autorze – władze nie uznały za konieczne, by przesłuchać go w konsulacie w Montevideo. Sam list natomiast błyskawicznie, bo już na początku stycznia 1948, został wysłany do Ministerstwa Sprawiedliwości, skąd celem podjęcia śledztwa równie szybko przesłano go do Prokuratury, a stąd momentalnie do Powiatowego Urzędu Bezpieczeństwa Publicznego w Łomży – tu jednak na bez mała rok sprawa zamarła.

To nie miało sensu.

W tamtym czasie jednym z celów Stalina i podległych mu polskich komunistów, w sporej części o żydowskim rodowodzie, było prezentowanie Polski jako kraju antysemickiego. Fabrykowane według odgórnych instrukcji relacje Żydów spełniały ważną rolę w planie Stalina, który liczył, że Zachód kupi spreparowany, skrajnie antysemicki, wręcz quasi-nazistowski wizerunek Polaków. Chytry plan odsłonił Adam Ciołkosz, poseł na Sejm II RP i historyk publikujący na emigracji: „I tak kamyczek po kamyczku, cegiełka po cegiełce własnymi rękami wznosili komuniści polscy gmach fałszów, z których wynikać miało, iż rząd polski w Londynie był antysemicki, naród polski z wyjątkiem garstki komunistów był antysemicki. Wszystko to miało służyć tym lepszemu przekonywaniu przez Sowietów na Zachodzie, że w tej antysemickiej i reakcyjnej Polsce nie można sobie pozwolić na demokrację, że Polaków trzeba mocno trzymać w ryzach, najlepiej mocną sowiecką ręką, aby nie pojawiły się znów upiory polskiego antysemityzmu”.

Sprawa Jedwabnego idealnie pasowała do takiej narracji, wydawało się więc czymś irracjonalnym, że po nadaniu jej początkowo tak dużego tempa, nagle wszystko zamrożono.

A jednak za spowolnieniem kryła się przebiegła i konsekwentna gra. By o niej opowiedzieć, trzeba naświetlić tak zwaną „Sprawę Fabera". O co chodzi?

Historia wzięła nazwę od nazwiska funkcjonariusza Wojewódzkiego Urzędu Bezpieczeństwa Publicznego w Białymstoku porucznika Samuela Fabera, przed wojną więzionego za działalność komunistyczną, ale jednocześnie agenta polskiej policji donoszącego na innych komunistów. W czasie II wojny światowej Faber został oficerem Armii Czerwonej, potem robił karierę w białostockim UB i w 1946 został szefem Wydziału Więziennictwa – podlegało mu więzienie w Białymstoku. Faber słynął z okrucieństwa – zapewne w dzieciństwie męczył owady, a gdy dorósł, owady mu nie wystarczyły, więc wziął się za ludzi, choć może z jego perspektywy były to tylko goje, a więc podludzie. Osobiście przesłuchiwał aresztowanych żołnierzy WiN i wykonywał egzekucje na bohaterach polskiego podziemia – wszystko dla komunistycznej „ojczyzny", ale rzecz jasna o sobie też nie zapomniał. Faber zorganizował przestępczą grupę złożoną z Żydów, która wyłudzała nieruchomości po innych zabitych Żydach, jakbyśmy to powiedzieli dziś – wyłudzali mienie bezspadkowe. Bandycki interes okazał się kopalnią złota.

Jak wiadomo złoto znajduje ten, kto wie, gdzie go szukać i jak to robić – Żydzi z bandyckiej szajki wiedzieli. Modus operandi grupy, w której obok Fabera kluczowe role odegrali Eliasz Grądowski, Józef Gradowski i szef referatu śledczego UB w Łomży porucznik Eliasz Trokenheim, opierał się na wypracowaniu specjalności przez poszczególnych członków żydowskiej bandy. Były trzy rodzaje „specjalistów". Pierwsi zajmowali się wynajdowaniem nieruchomości, których właściciele zginęli. Inni wyszukiwali Żydów o nazwiskach brzmiących podobnie do zmarłych. Ci ostatni organizowali fikcyjnych świadków potwierdzających rzekome pokrewieństwo. Kiedy przejmowali własność, szybko się z nią rozstawali – pozyskane nieruchomości sprzedawano i dzielono się łupem. I tak kilkanaście razy w Jedwabnem i dwa w Łomży – prawie dwadzieścia domów w ciągu kilku miesięcy. To było dobrze pomyślane. Każdy grał tu swoją rolę, a kropkę nad i stawiał Faber, który załatwiał szybkie wydawanie zezwoleń na przejęcie nieruchomości w pasie granicznym – w owym czasie procedura skomplikowana i wymagająca zezwoleń wojewody. Interes rozkręcał się planowo, windował, a nawet rokował na przyszłość, jednym zdaniem – o mały włos bandytom wszystko uszłoby na sucho, gdy nagle sprawy przybrały odmienny obrót.

Jak wiadomo niewiele rzeczy na tym świecie jesteśmy w stanie przewidzieć – bo czy ktoś mógł przewidzieć, że do Jedwabnego powróci z zaświatów Jan Cytrynowicz,

Żyd, który miał być martwy, tymczasem zmartwych-
wstał? I że na dodatek zaraz po zmartwychwstaniu okaże się tak bezwzględny, że zamiast okazać wdzięczność
„opiekunom" jego majątku, będzie bruździł „krewnia-
kom"?

Cytrynowicz domagał się zwrotu zagrabionej własności,
a powstały przy tej okazji hałas mógł stanowić nie lada
problem, bo jak wiadomo duże pieniądze lubią ciszę. Nie
zdążono jednak nawet popracować nad rozwiązaniem
tego problemu, gdy na horyzoncie pojawiło się nowe,
znacznie poważniejsze zagrożenie: śledztwo w sprawie
zbrodni w Jedwabnem, którego szybkiego wdrożenia domagali się przełożeni Trokenheima, a które szef referatu
śledczego łomżyńskiego UB spowalniał, jak tylko mógł.

To było absurdalne. Trokenheim, podobnie jak Faber,
nienawidził Polaków i niejednokrotnie dał temu wyraz.
Prowadząc śledztwo w kierunku obciążenia zbrodnią Polaków, jak oczekiwali przełożeni, zyskiwał ich aprobatę
i windował, a jednocześnie dawał upust swojej niechęci
do gojów – dwa w jednym. Nie podejmując śledztwa,
narażał się ludziom na wysokich stołkach i chronił ludzi, których szczerze nienawidził. Miał czystą kartę i per-
spektywę kariery – dlaczego więc ryzykował?

To nie miało sensu – ale, jak się okazało, nie do końca.

Większość „świadków" występujących w łomżyńskim
Sądzie Grodzkim w sprawach dotyczących przejęcia
nieruchomości po „żydowskich krewnych" zeznała, że

w Jedwabnem Żydów wymordowali Niemcy. Tymczasem przełożeni Trokenheima, zgodnie z odgórnym poleceniem, oczekiwali wykazania, że zbrodni dokonali Polacy. Pogodzenie obu tych wykluczających się koncepcji było zwyczajnie niemożliwe, a żadnej ze spraw nie można było ot tak po prostu zamknąć. Materiały dotyczące tragedii z 10 lipca 1941 dotarły do łomżyńskiego UB, gdy przestępcza szajka zdążyła już wyłudzić kilkanaście domów i działała w pełnym rozkwicie, a w obu tych sprawach zeznawali ci sami ludzie. Zmiana zeznań przez świadków, którzy zapewniali o niemieckim sprawstwie zbiorowego mordu dokonanego na Żydach w Jedwabnem, a którzy teraz – zgodnie z oczekiwaniami „góry" – za tę samą zbrodnię mieliby obciążyć Polaków, całkowicie podważyłaby ich wiarygodność i musiała prowadzić do zwrotu zagarniętych domów, a potem do śledztwa, którego absolutnie fatalny wynik był łatwy do przewidzenia. Szach i mat.

W tej sytuacji, praktycznie bez wyjścia, Trokenheim postanowił przyjąć jedyną możliwą koncepcję i prowadzić grę na zwłokę – i prowadził aż do aresztowania, a potem skazania w styczniu 1949 – bo zeznań świadków nie mógł już cofnąć.

Jacy to byli świadkowie?

Eliasz Grądowski – zeznał przed Sądem Grodzkim w Łomży i to w kilku odrębnych procesach cywilnych, że Żydów w Jedwabnem zamordowali Niemcy. Zapewnił przy tym, że wszystko widział na własne oczy, jednym zdaniem – był naocznym świadkiem wydarzeń. Abram Boruszczak – według Grądowskiego inny naoczny świadek tragedii, potwierdzał jego wersję. Rywka Fogiel – ocalona z pogromu w Jedwabnem zeznała wprost, że zbrodni w Jedwabnem dokonali Niemcy: „Piekarskich Niemcy wywieźli wtedy jak likwidowali Żydów". Współpracując po wojnie z grupą Fabera, wskazała na morderców między innymi Jakuba Kaca, którego dom próbowała przejąć. Przekaz był jasny: to zrobili Niemcy. Podobnie Mendel Kacew: „Dora Drejarska wraz z całą rodziną została spalona przez Niemców". Bezcenną relację opisującą okoliczności zamordowania w Jedwabnem Zelika Zdrojewicza złożył do protokołu jego bratanek Zelik Lewiński. Zacytujemy ten fragment: „Świadek Zelik Lewiński, lat 53, po uprzedzeniu o odpowiedzialności karnej za fałszywe zeznania i po zaprzysiężeniu zeznał: Ojca petenta znałem, gdyż był moim wujem. W czasie działań wojennych uciekłem z domu do swej siostry do Jedwabnego. W tym czasie przybył również i Zelik Zdrojewicz do Jedwabnego. W czasie gdy Niemcy wkroczyli do Jedwabnego, ludność żydowska masowo została spędzona do stodoły za Jedwabnem i w tej stodole została masowo spalona. Ja wraz z ojcem petenta byłem w liczbie osób pędzonych do stodoły, jednak w ostatniej chwili przed stodołą udało mi się zbiec i schować się pod murem cmentarnym obok stodoły. Stwierdzam stanowczo, że widziałem na własne oczy Zelika Zdrojewicza, jak Niemcy wpędzili go do stodoły, a następnie stodołę podpalili i spalili wszystkich zapędzonych w niej Żydów. Żydów w tej stodole zostało spalonych kilkaset".

Analogicznych zeznań, wskazujących jednoznacznie, że zbrodni w Jedwabnem dokonali Niemcy, jest kilkadziesiąt. W zachowanych czterdziestu pięciu relacjach złożonych przez trzydziestu świadków, w większości Żydów, zeznających szczegółowo odnośnie do daty, czasu, okoliczności i przyczyn śmierci właścicieli nieruchomości w Jedwabnem, dwie trzecie z nich – dokładnie dwadzieścia osób – to właśnie Niemców wskazało jako sprawców zbrodni w Jedwabnem! Oczywiście część spośród nich miała wątpliwą reputację i równie wątpliwą wiarygodność. Ale przecież w oparciu o relacje i wiarygodność tych właśnie ludzi swoje „arcydzieło" napisał Jan Tomasz Gross. Jako naocznych świadków „polskiej zbrodni" Gross przywołał Eliasza Grądowskiego i Abram Boruszczaka, a także kilka innych osób związanych z działalnością szajki wyłudzającej nieruchomości pożydowskie w Jedwabnem i Łomży, w tym Szmula Wasersztajna, którego sprzeczne (!) relacje stały się fundamentem „Sąsiadów". To właśnie z nich Gross snuł wywody o polskiej winie. Wasersztajn, działając na rzecz przestępczej grupy Fabera, złożył w S ądzie Grodzkim w Łomży zeznania tak niewiarygodne, że sąd odrzucił je w całości jako urągające faktom i zdrowemu rozsądkowi. Osobną kwestią jest sprawa Rywki Fogiel, którą Gross także przywołuje w „Sąsiadach" i która w 1980 na potrzeby publikacji rabinów Jacoba i Juliusa Bakerów w „Sefer Jedwabne. Historiya ve-zikaron, Jerusalem" zmieniła zdanie o sto osiemdziesiąt stopni, w barwny sposób opisując, jak tym razem to Polacy – nie jak zapewniała wcześniej Niemcy – mordowali Żydów w Jedwabnem. Publikacja powstała w specyficznym momencie, gdy powoli zaczęła rodzić się narracja zmierzająca do wybielania odpowiedzialności Niemców za zbrodnie na Żydach – dodajmy, tendencja finansowana przez niemieckie kręgi polityczne. To właśnie wtedy wyprodukowano czteroodcinkowy serial „Holocaust" z 1978 w reżyserii Marvina Chomsky'ego, z powstałą w chorej wyobraźni autora sceną, w której żołnierze polscy dokonują egzekucji mieszkańców warszawskiego getta. Było to absurdalne do takiego stopnia, że oburzyło nawet antypolskiego ideologa Przedsiębiorstwa Holokaust noblistę Elie Wiesela. Ciekawie zrelacjonował inicjację antypolskiej nagonki brytyjski badacz Norman Davies, który został zaproszony na zamknięte spotkanie dla młodych historyków do ambasady Izraela w Londynie. Miało charakter warsztatów nauczania o Holokauście i stanowiło otwarcie wielkiej ogólnoświatowej kampanii promowania wiedzy o zagładzie Żydów podczas II Wojny Światowej. „Z całego spotkania miało wyniknąć, że Polska była historycznym ośrodkiem antysemityzmu, w związku z czym zasadne jest określanie

Polaków mianem antysemitów". Prowadzący, żydowski profesor Yehuda Bauer przedstawił interesujący schemat historyczny do zastosowania w relacjonowaniu Holokaustu. Opierał się on na tym, że „w czasie wojny, w Polsce, bo to wszystko odbyło się przecież w Polsce, byli wykonawcy, były ofiary i byli ci, którzy na to wszystko biernie patrzyli, tzw. „bystanders". Wykonawcy to hitlerowcy i takiego określenia należy używać – nie Niemcy, tylko właśnie naziści i hitlerowcy. W tym schemacie w ogóle nie występowało słowo „Niemcy", tylko hitlerowcy, kolaboranci, ofiary – ale wyłącznie Żydzi, i ci bierni, czyli Polacy. Oponowałem, ale zakrzyczano mnie. Usłyszałem: „siadaj!", „polonofil" . Tak niestety jest, że Polska została wpisana do tego schematu jakby z góry. I to ciągle wychodzi".

I to właśnie wyszło, w skrajnej już formie, w książce „Sąsiedzi" Jana Tomasza Grossa. Bo jeśli świadkowie, na których się oparł, zasługiwali na wiarygodność – a jego zdaniem zasługiwali – to co zrobić z ich zeznaniami składanymi pod przysięgą przed Sądem Grodzkim w Łomży. Nie można być wiarygodnym do połowy, jak nie można być do połowy w ciąży, więc albo ludzie ci byli wiarygodni, albo nie byli. Wybór zerojedynkowy, jak to, czy wisieć na krzyżu, czy wbijać gwoździe. Czy zatem ktoś, kto opowiadając o jednym i tym samym wydarzeniu w dwóch różnych sądach, w krótkim odstępie czasu mówi rzeczy absolutnie się wykluczające – jest wiarygodny? Nie trzeba stawiać kropki nad i, by uzyskać odpowiedź na to pytanie – i dlatego ciekawsze jest inne pytanie: dlaczego ci sami ludzie, którzy w 1948 zarzekali się, że zbrodni w Jedwabnem dokonali Niemcy, rok później zmienili zdanie, twierdząc, że byli to Polacy?

Odpowiedź znajdziemy między innymi w materiałach operacyjnych z tamtego okresu. 17 stycznia 1949 funkcjonariusz Urzędu Bezpieczeństwa Publicznego sąsiadującego z powiatem łomżyńskim spotkał się w Jedwabnem ze swoim agentem pseudonim „Ryś", operującym na terenie miasteczka, ale dość słabo zorientowanym w miejscowych realiach, o czym świadczą pomyłki w jego relacjach. Najistotniejsza była jednak nie treść jego doniesień, ale zadania, jakie przed nim postawił prowadzący funkcjonariusz bezpieki. Brzmią one tak szokująco, że warto zacytować je w całości.

„Zadanie: Starać się ustalić świadków, którzy mogą potwierdzić, że ww. brali udział czynny w paleniu Żydów. Ustalić świadków, którzy potwierdzą, że w czasie spędzania Żydów brali udział sami Polacy. Ustalić wszystkich aktywistów polskich, którzy brali udział w paleniu Żydów".

Ten krótki tekst to cała prawda o „polskiej" zbrodni w Jedwabnem!

Pokazuje jasno – Urząd Bezpieczeństwa Publicznego realizował odgórne polecenie pozyskiwania świadków, którzy potwierdzą, że w czasie wydarzeń w Jedwabnem w lipcu 1941 roku sprawcami mordu byli Polacy. Nie Polacy działający na polecenie czy rozkaz Niemców, tylko po prostu: Polacy.

Jako historyk, ale przede wszystkim major ABW i były szef delegatury, któremu podlegało kilkuset oficerów i funkcjonariuszy służb specjalnych, wiem tak dobrze, że nie muszę już wiedzieć lepiej, iż oficer operacyjny, a tym bardziej funkcjonariusz, tak wtedy, jak i dziś, nigdy samodzielnie nie precyzuje zadań do realizacji przez osobowe źródło informacji – to rola przełożonego, który zatwierdza zadania dla OZI za pomocą dyspozycji na piśmie. Przełożony może zaakceptować zadania, odrzucić je albo zmodyfikować, ale zawsze musi się do nich ustosunkować. Jeśli nie istniałaby akceptacja na pisemnej relacji ze spotkania z OZI, nie powstałby wyciąg ani odpis przekazany do innych jednostek. W omawianym tu przypadku mamy jednak do czynienia z odpisem zatwierdzonym przez kierownictwo jednostki sporządzającej, skrótowym streszczeniem relacji oryginalnej. Poza wszystkim nie ma śladu spraw operacyjnych prowadzonych równolegle do sprawy karnej ani żadnych dokumentów, jak na przykład kierunkowy plan wykorzystania OZI, zatem nie można tu mówić o realizacji potrzeb wynikających ze sprawy operacyjnej. Istnieje zatem tylko jedno wytłumaczenie: postawienie agentowi „Rysiowi" takiego, a nie innego zadania, wynikało z polecenia wydanego odgórnie, z centrali Urzędu Bezpieczeństwa Publicznego w Warszawie

albo z Wojewódzkiego Urzędu Bezpieczeństwa Publicznego w Białymstoku – innych opcji nie ma. Z treści zadania postawionego przed agentem bezpieki wynika, że
„Ryś" nie tylko miał uzyskać informacje o zatrzymanych
w trakcie śledztwa, ale także poszerzyć krąg podejrza-
nych Polaków, których następnie zmuszano do składania
zeznań pod z góry przyjętą tezę. Świadczy o tym zarówno to, co sami mówili przed sądem, gdzie niektórzy ze
świadków zeznawali wprost, iż w śledztwie zmuszano
ich do składania fałszywych zeznań, jak i obiektywne
fakty, na przykład dwukrotne przesłuchanie w ciągu jednego dnia Romana Zawadzkiego. Podczas pierwszego
przesłuchania Zawadzki obciążył Józefa Żyluka, ale do
tezy przesłuchujących bardziej pasował Jerzy Tarnacki
– zmienił więc zdanie i obciążył Tarnackiego. To historia
jedna z wielu, pokazująca, w jaki sposób zbierano „dowody" i jak w ogóle badano sprawę zbrodni w Jedwabnem.
Czy o tym wszystkim Jan Tomasz Gross mógł nie wiedzieć? To wykluczone.

Gdy badał udostępnione mu dokumenty, miał wszystko
wyłożone na stole, ale zrobił wszystko, by nie dotrzeć do
prawdy. Gdyby chciał ją znaleźć – to by znalazł. Inna
sprawa to niezwykłe okoliczności, w jakich Gross wszedł
w posiadanie owych dokumentów.

Gdy autor „Sąsiadów", było nie było obywatel Stanów
Zjednoczonych, objawił światu swoje dzieło, polscy historycy byli zaskoczeni jego wiedzą. Z jednego powodu:

większość dokumentów dotyczących zbrodni w Jedwabnem znajdowała się w archiwalnych zasobach Głównej Komisji Badania Zbrodni przeciwko Narodowi Polskiemu. W połowie 2000 powstały chwilę wcześniej Instytut Pamięci Narodowej przejął te zasoby i – jak się okazało – nieomal z marszu, za sprawą profesora Andrzeja Paczkowskiego, członka kolegiom IPN popieranego przez Platformę Obywatelską, oraz Leona Kieresa, otrzymał je Tomasz Gross. Interesujące, że Kieres, pierwszy szef IPN-u, niedługo po ukazaniu się na rynku wydawniczym „Sąsiadów" poleciał za ocean, na rozmowy ze środowiskami żydowskimi skupionymi wokół Muzeum Holokaustu w Waszyngtonie, w trakcie których przeprosił Żydów za udział Polaków w zbrodni w Jedwabnem. Prokuratorzy z pionu śledczego IPN-u dopiero zaczęli badać wywołaną książką sprawę, wszczęli śledztwo, a tymczasem ich szef już „wiedział". Bo jeżeli nie wiedział – to dlaczego powiedział? Czym innym, jeśli nie wskazaniem kierunku, udzielonym przez szefa podwładnemu, prokuratorowi Ignatiewowi, były te przeprosiny na wyrost? I jak to możliwe, że decydenci IPN-u nie przekazali materiałów polskim historykom, tylko amerykańskiemu socjologowi? Ważne pytania, ale jest jeszcze ważniejsze:

kto udzielił zgody naukowcowi posiadającemu status obcokrajowca na prowadzenie badań naukowych w Wydziale Ewidencji i Archiwum w Delegaturze UOP w Białymstoku? Ustawa o ochronie informacji niejawnych niezwykle rygorystycznie reglamentowała dostęp do dokumentacji stanowiącej tajemnicę państwową, a taki status mają materiały archiwalne przechowywane w archiwach UOP. Dlaczego opisywana sytuacja miała miejsce i komu zależało na jednostronnym dostępie do materiałów źródłowych znajdujących się w UOP i IPN z całkowitym brakiem możliwości zapoznania się i przeprowadzanie badań nad wydarzeniami mającymi miejsce w Jedwabnem 10 lipca 1941 przez polskich historyków? Dużo pytań – mało odpowiedzi.

Tak więc Gross wiedział to, czego w owym czasie nie wiedzieli inni. Wiedział, że ma tę wiedzę na wyłączność i wiedział, że, mając krycie z „góry", może nią manipulować bez jakichkolwiek kontroli czy ograniczeń. I tylko tego, że istnieją materiały dotyczące grupy Fabera, pogrążające wiarygodność świadków, na których oparł swoją książkę – Gross nie wiedział.

Trzy fakty. Fakt numer jeden – tendencyjność. Mówi nam o tym, że nawet bez dowodów, do których nie miał dostępu, mógł udowodnić, że to nie Polacy zabili jedwabieńskich Żydów. Wystarczyło tylko poszperać, ale tego nie zrobił, bo im więcej by szperał, tym gorzej miałaby się jego wersja.

Fakt numer dwa – niewiedza. Kiedy pisał swoją książkę, nie miał zielonego pojęcia o działalności grupy Fabera, ponieważ odkrył ją i nieśmiało „wyciągnął" na światło dzienne dopiero kierownik Państwowego Archiwum w Łomży Leszek Kocoń w 2001, już po książce Grossa. Od tego jednak momentu autor „Sąsiadów" znał je już na pewno.

I tu dochodzimy do faktu numer trzy – nieuczciwość. Autor „Sąsiadów" był człowiekiem, który nie wiedział – teraz wie, był ślepy – teraz widzi. I co w tamtym momencie robi? Organizuje konferencję, by wytłumaczyć wszystko ludziom, dla których jest autorytetem? Prostuje przed takim czy innym audytorium swoje wcześniejsze wypowiedzi i opowiada, jak doszło do tego, że napisał bzdury? Pisze nowe wydanie „Sąsiadów", uwzględniające informacje, o których wcześniej nie wiedział, ale przecież teraz już wie?

Nic podobnego. Nie robi żadnej z tych rzeczy – nie robi nic, by o tym opowiedzieć i przyznać się do błędu, a przeciwnie: przekracza kolejne granice, brnie w swoje szaleństwo i w kolejne kłamstwa, w które uwierzył świat – i jeszcze cynicznie się uśmiechał. Można się uśmiechać i być draniem.

Innymi słowy początkowo mógł nie widzieć niektórych dowodów wskazujących na niemiecką zbrodnię w Jedwabnem, rzecz w tym, że gdy już je zobaczył, nadal zachowywał się tak, jakby ich nie widział. Powinien się tłumaczyć z propagowania jawnych kłamstw, ale już nie musiał – bo świat te kłamstwa kupił i był po jego stronie, bo sprawa nie dotyczyła już książki, tylko mitu, który powstał na jej kanwie. Spadł na cztery łapy, bo nie była to tylko jego sprawa – być może nigdy nie była, ale nie ulega wątpliwości, że od tego momentu był chroniony przez niewidzialne moce. Oto sedno sprawy. Ktoś bardzo się wysilił, by uwiarygodnić stek bzdur, który znamy pod nazwą „Sąsiedzi". Jego autorowi od początku tworzono legendę, gmatwano ślady i choć tak zwane „dowody" pozostawiały wiele do życzenia, utrzymywano mit przy życiu. A jednak pomimo wszystkich zaniechań i ukierunkowanych działań, pomimo zamilczenia przez Grossa powstałego problemu „na śmierć", pomimo wyciszania niewygodnych faktów przez polskie i światowe media, pomimo ogólnie mało sprzyjającej dla prostowania Grossowych bajdurzeń atmosfery, prawda o odkryciu kierownika Koconia z łomżyńskiego archiwum powoli zaczęła wyciekać do opinii publicznej. Gross nabrał wody w usta i nie zmieniał taktyki, a dalsze milczenie teoretycznie mogło być niebezpieczne dla wykreowanej teorii kłamstwa. W tej sytuacji ster narracji przejęli poplecznicy autora „Sąsiadów" – historycy z otoczenia Leona Kieresa. „Wyjaśnili", że świadkowie zeznający w procesach cywilnych obarczali polską zbrodnią Bogu ducha winnych Niemców, bo przecież mówienie o polskich zbrodniarzach byłoby dla nich niebezpieczne. Mówimy o czasach, gdy Sowieci w polskich mundurach i Żydzi w polskich mundurach mordowali niedobitki prawdziwych polskich bohaterów, opór już właściwie nie istniał. Było to zatem tłumaczenie tak pokrętne, że zakrawające na gmatwanie sprawy, nie jej wyjaśnianie.

Po pierwsze większość zeznających była pochodzenia żydowskiego, co stawiałoby ich w charakterze ofiar, a nie sprawców, którym mogą grozić konsekwencje.

Po drugie w owym czasie żydowscy komuniści opanowali prawie wszystkie kluczowe stanowiska rządowe, urzędowe i partyjne w Warszawie – i poza Warszawą zresztą też – ze szczególnym uwzględnieniem wymiaru sprawiedliwości. Czego w 1948 mieli obawiać się Żydzi mówiący o zbrodniach Polaków? Niczego!

Po trzecie wreszcie twierdzenie, że w sytuacji, w której wszystkie polskie władze cywilne i wojskowe, a także ich moskiewscy protektorzy kreujący polski antysemityzm – nazizm prawie – ktoś mógłby zmusić tak wielu Żydów do wybielania Polaków to więcej niż bzdura. Trzy pytania: po co ktoś miałby to robić? Jak mógłby tego dokonać? Kto byłby władny, by tak bulwersujące, powtarzające się zdarzenia – siłowe zmuszanie Żydów do wybielania przed sądem Polaków – utrzymać w tak nieprawdopodobnie ścisłej tajemnicy, że o naciskach tych nikt nigdy nie słyszał i o których nigdzie nie pojawiła się nawet jakakolwiek wzmianka? To nie są pytania podchwytliwe, bo przy zachowaniu logiki i zdrowego rozsądku odpowiedź jest prosta: takie naciski na takich ludzi w takiej rzeczywistości i jeszcze utrzymanie tego wszystkiego w takiej tajemnicy – to było niewykonalne.

Najistotniejszym jednak argumentem obalającym hipotezę o przerażonych Żydach, którzy obciążają niewinnych jak gołąbki Niemców ze strachu przed Polakami, jest to, iż Sądu Grodzkiego absolutnie nie interesowało dociekanie, kto odpowiadał za wymordowanie tamtejszych Żydów. Prowadząc sprawy cywilne o nabycie prawa do spadku, tudzież uznanie właścicieli majątków za zmarłych, sąd w ogóle nie badał, kto był sprawcą śmierci takiego czy innego nieszczęśnika, a jedynie, czy ów faktycznie nie żyje i jeśli nie żyje, to czy jego spadkobierca to naprawdę spadkobierca. Informacje o przyczynach czy okolicznościach śmierci wychodziły na wierzch, niczym podszewka spod kurtki, niejako przy okazji – ale wychodziły. A gdy już wyszły, stały się poważnym problem dla żydowskiej, szajki złodziei, a wiele lat później także dla Grossa i jego wyznawców – ale nie na tyle poważnym, by kłamcy przeprosili za kłamstwa. Doktor Krzysztof Persak, jeden z apologetów Grossa, broniąc jego wersji przyjął, że w sprawach cywilnych z lat 1946–1948 sędziowie Sądu Grodzkiego w Łomży byli niedbali, z kolei ci z sądu karnego z okresu 1949–1953, badający zbrodnię w Jedwabnem i uznający winę Polaków – nad wyraz dokładni. Cóż można powiedzieć? Pan doktor najwyraźniej zapomniał przeczytać akta procesu karnego, bo gdyby nie zapomniał, odkryłby, że sędziowie i prokuratorzy byli tak dokładni, że pierwsi w akcie oskarżenia, a drudzy w wyroku sądu jako datę zbrodni w Jedwabnem wskazali 25 czerwca 1941 – pomimo że wszyscy świadkowie mówili

o lipcu lub wprost o 10 lipca. Fundamentalny błąd, jakim było przesunięcie zbrodni w czasie o pełne dwa tygodnie, to cała prawda o jakości pracy tego „dokładnego" sądu. Jak to możliwe, że prokurator prowadzący śledztwo, a w ślad za nim sąd wydający wyrok, pomylili się w tak kluczowej sprawie? To pytanie bez odpowiedzi, podobnie jak wiele innych w tej historii. Ciekawą teorię, godną fantazji komika – nie historyka – postawił autor „Sąsiadów", który dylemat fundamentalnego błędu skwitował krótko: „prokuratorowi najwyraźniej utkwiła w pamięci pierwsza data z relacji Wasersztajna". Identycznie, za Grossem, kardynalny błąd tłumaczą profesor Andrzej Rzepliński oraz historyk Krzysztof Persak. Należałoby zapytać: naprawdę wierzą w to, co mówią czy kpią w żywe oczy z inteligencji innych historyków i prawników. Bo jeśli prokurator, a potem sędzia wydający wyrok, nie zweryfikował daty zbrodni, to jak mamy uwierzyć, że w ogóle cokolwiek zweryfikował? Ten błąd to najprawdopodobniej jeden z najbardziej kuriozalnych błędów w historii wymiaru sprawiedliwości, nie tylko zresztą polskiego. Nie słyszałem o jakiejkolwiek innej sprawie – a pytałem wielu wybitnych specjalistów – w której skazanoby na karę śmierci człowieka, a innych ludzi na długoletnie więzienie, za czyn, który popełniono dwa tygodnie wcześniej, niż naprawdę miał miejsce.
Nie do wiary, ale tak to właśnie wyglądało.

Wiem jedno: gdyby ktokolwiek dziś tak prowadził sprawę, media miałyby używanie – zatrzymajmy się w tym miejscu i przyjrzyjmy się tym procesom.

Pierwsza sprawa karna, z udziałem dwudziestu dwóch oskarżonych mieszkańców Jedwabnego, zaczęła się w 1949, a skończyła w 1953 postępowaniem przeciwko Józefowi Sobucie, który z powodu leczenia w szpitalu psychiatrycznym nie mógł wziąć udziału we wcześniejszych fazach procesu – to głównie z dokumentów na potrzeby tej sprawy korzystał Jan Tomasz Gross. Postępowanie zostało wszczęte na podstawie artykułu 1 lit. a Dekretu z 30 sierpnia 1944 o wymiarze kary dla faszystowsko-hitlerowskich zbrodniarzy winnych zabójstw, znęcania się nad ludnością cywilną i jeńcami oraz dla zdrajców Narodu Polskiego: „Kto, idąc na rękę władzy państwa niemieckiego lub z nim sprzymierzonego: 1. brał udział w dokonywaniu zabójstw osób spośród ludności cywilnej albo osób wojskowych lub jeńców wojennych podlega karze śmierci".

Z dokumentów wynika, że funkcjonariusze UB nie tyle prowadzili profesjonalne czynności śledcze, co badali okoliczności mordu. Nie znali daty ani przebiegu wydarzeń, a pierwsze konkretniejsze informacje przekazał im dopiero agent „Ryś", który operował na terenie Jedwabnego, ale nie miał rozpoznanego środowiska. „Ryś" twierdził, że niejaki „Śliwecki" – niewystępujący w procesie – listonosz z Jedwabnego podczas wojny był zastępcą bur-

NIEBEZPIECZNE KŁAMSTWA GROSSA 165

mistrza i brał czynny udział w spędzaniu Żydów idących na śmierć. Nadto wskazał, że jeden z braci Leszczyńskich w czasie „aresztowania" Żydów niósł dwie bańki benzyny do stodoły, gdzie później ich spalono. Zdaniem szpicla w mordowaniu Żydów mieli brać także udział Antoni i Józef Przestrzelscy. Jako świadków opisywanych wydarzeń „Ryś" wymienił Jadwigę Mierzejewską i księdza Godlewskiego – nie wiadomo, jakim sposobem agent powziął tę nieprawdziwą informację, bo proboszczem w Jedwabnem był ksiądz Kębliński.

Podobnych błędów w donosach „Rysia" było bez liku, ale najistotniejsze było nie to, co agent UB przekazywał przełożonym, ale to, na co został przez nich ukierunkowany – na ustalenie świadków, którzy potwierdzą, że w spędzaniu Żydów brali udział sami Polacy.

8 stycznia 1949, po ostatecznym rozbiciu grupy Fabera, podjęto pierwsze działania procesowe. Tego dnia w „meldunku o wszczęciu rozpoznania sprawy" znajdującym się w materiałach śledztwa wskazano dwadzieścia trzy osoby, które w następnych dniach sukcesywnie zatrzymywano i przesłuchiwano. Analiza protokołów przesłuchań wskazuje, że większość przesłuchiwanych w różnym stopniu przyznała się do współudziału w całokształcie zbrodni – ale do czego konkretnie? Z zapisanych w protokołach zeznań wynika jasno, że nikt nie przyznał się do udziału wprost w morderstwie, wszyscy zeznawali, ze ograniczali się do „pilnowania Żydów na Rynku".

Co ciekawe, nawet ci, którzy przyznali się do największej współwiny przed funkcjonariuszami PUBP – przed prokuratorami zaprzeczali udziałowi w mordowaniu Żydów i utrzymywali, że „pilnowali Żydów na Rynku". Przyczyną zmiany stanowiska mógł być fakt, że – co tu dużo mówić – większość z oskarżonych to ludzie słabo wykształceni, po części analfabeci, mało rozgarnięci i nierozumiejący zawiłości poszczególnych terminów prawnych. Brak rozgraniczania w składanych przez nich wyjaśnieniach udziału w gromadzeniu, pilnowaniu czy eskortowaniu, od uczestniczenia w bezpośrednim mordowaniu, świadczy o ich niewiedzy prawnej i nierozróżnianiu zakresu pojęć sprawca – współsprawca. Innym, ale kluczowym wręcz czynnikiem jest kwestia wymuszania zeznań przez bandytów z UB, którzy na tysiącach zamęczonych żołnierzach polskiego podziemia zdobyli w tym zakresie wielką wprawę i doświadczenie. Potrafili „popracować" tak, że ludzie bez rąk podpisywali oburącz protokoły świadczące o ich winie, a ślepi analfabeci przyznawali się do czytania wywrotowej bibuły – bo takie to były czasy, w których setki tysięcy niewinnych ludzi najpierw słyszało, że każdy ma swoją granicę odporności – a zaraz potem przekonywało się, że tak jest naprawdę.

Oddajmy im głos – Władysław Dąbrowski: „Na zeznaniach tak mówiłem, bo byłem bity i bałem się dalszego bicia. Byłem bity w potworny sposób".

Władysław Miciura: „na zeznaniach mówiłem to, co

chcieli, bo nie chciałem, żeby mi zdrowia odebrali". Podobnie zeznało wielu innych. Jak w tym kontekście ocenić słowa profesora Andrzeja Rzeplińskiego, który stwierdził, że w „analizowanej sprawie" nie doszukał się „danych wskazujących, aby ewentualnie podjęte takie działania miały za cel wymuszenie złożenia określonych oświadczeń procesowych" – stwierdzenie, przy którym żelazna zasada niejakiego Majora Majora, bohatera słynnej książki „Paragraf 22", który nie przyjmował interesantów zawsze wtedy, gdy był, a przyjmował, gdy go nie było, wydaje się szczytem logiki.

Bo w jakim celu ludzi tych potwornie bito, jeśli nie po to, by wymusić na nich zeznania?

Profesor Andrzej Rzepliński tak daleko zapędził się w obronie prawidłowości prowadzonego procesu – a raczej jego wyniku – że posunął się do stwierdzenia, iż jedną z przyczyn wadliwego prowadzenia dochodzenia był... antysemityzm „niektórych z funkcjonariuszy UB, ale i prokuratorów". Czyj antysemityzm? Przedstawicieli z instytucji rządzonych i zdominowanych przez Żydów?! Nie trzeba niczego więcej, bo już tylko to stwierdzenie Rzeplińskiego i jemu podobnych, którzy sprzedawali opinii publicznej taki bełkot, pokazuje, kim w rzeczywistości byli – i są – ci ludzie nazywani przez takich samych jak oni „elitą III RP" i jaką pogardę mieli nie tylko wobec faktów, ale także ludzi posługujących się zwyczajną logiką i po prostu zdrowym rozsądkiem.

Proces dotyczący zbrodni w Jedwabnem był sprawą o morderstwo – ale nie taką zwyczajną sprawą o morderstwo. Dlaczego prokuraturze i sądowi nie przyszło do głowy wykonanie czynności procesowych, wizji lokalnej, oględzin rynku czy stodoły Śleszyńskiego? Dlaczego nie podjęto nawet próby przeanalizowania dowodów materialnych morderstwa? Dlaczego nie dokonano ekshumacji ofiar, weryfikując ich liczbę oraz tożsamość, a wszystko sprowadzano wyłącznie do zeznań i pisemnych relacji? Przesłanki układające się w spójny logiczny ciąg wydarzeń nie pozostawiają w tym zakresie wiele miejsca na wahanie – ponieważ w tym procesie nie chodziło o ustalenie stanu faktycznego, a po prostu o cel: skazanie Polaków. A jeżeli ktoś miałby jeszcze w tej sprawie jakieś wątpliwości, musiałby je stracić po zapoznaniu się z uzasadnieniem sądu dotyczącym kilku świadków – tych samych, na relacjach których oparł swoją książkę Jan Tomasz Gross.

„W zeznaniu złożonym w Urzędzie Bezpieczeństwa Eljasz Grądowski i Abram Boruszczak podają, że w czasie zajścia uciekli – stąd też ich wiadomości, a zwłaszcza Eljasza Grądowskiego o udziale oskarżonych nie mogły być wzięte za bezsporny dowód tym więcej, iż wydaje się niemożliwe, aby Grądowski w okolicznościach zajścia krytycznego zauważył, co robiła każda z 25 osób przez niego wskazanych. Odnośnie tych świadków Józef Grądowski zeznał, że nie było ich w Jedwabnem w czasie masowego morderstwa. Zeznania Wasersztajna, Elja-sza Grądowskiego i Boruszczaka należy z powyższych względów traktować jako dowód uzupełniający przyjmu-jąc, iż świadkowie ci posiadali jedynie informacje odno-śnie oskarżonych osób".

Sędzia Małecki miał świadomość, że zeznania Eliasza Grądowskiego i Abram Boruszczaka są fałszywe, z jed-nego powodu: bo w dokumentacji śledztwa znajdowały się liczne świadectwa, że w tragicznym dniu żaden z nich po prostu nie był w Jedwabnem. A jeśli nie byli, to nie mogli widzieć na własne oczy tego wszystkiego, co – jak twierdzili – widzieli. Logiczne. A jednak, mimo złapania świadków na ewidentnym kłamstwie, sędzia nie odrzu-cił ich zeznań w całości, stwierdzając jedynie, że choć w Jedwabnem 10 lipca 1941 z całą pewnością nie byli, jak mówili, to przecież mogli coś wiedzieć, bo ktoś mógł im powiedzieć. Czyż nie piękne? I to – zdaniem sądu – nazywa się „dowodem uzupełniającym". W rzeczywisto-ści „to" nazywa się zupełnie inaczej i w kręgach mało parlamentarnych określane jest jako „deprecjonowanie przodków", ale uzasadnienie to świetnie ilustruje, o co tu chodziło naprawdę.

Prawda o świadkach, na których Jan Tomasz Gross oparł swoją historyjkę, w rzeczywistości była jeszcze gorsza niż to, co nad wyraz delikatnie, wskazał sąd, bo według relacji innych świadków – na przykład Józefa Grądowskiego – Eliasz Grądowski nie tylko kłamał, ale tez zrobił z tego kłamstwa intratny interes. „Eliasz Grądowski chciał pieniędzy od oskarżonych, oni nie chcieli mu dać, to on ich oskarżył, a ci ludzie są niewinni. Eliasz Grądowski z Zarzeckim chcieli z tych ludzi ściągnąć pieniądze tylko i dlatego oskarżyli niewinnych ludzi". Co można powiedzieć o kimś takim? Że to przekroczenie wszelkich granic? Przecież powiedzieć tyle – to tyle, co nic nie powiedzieć. A co można powiedzieć o kimś takim, kto w oparciu o kogoś takiego zniesławił przed światem cały naród?!

Grossowi, który doskonale znał akta śledztwa, nie przeszkadzał zupełnie fakt całkowitego podważenia zeznań Eliasza Grądowskiego i Abrama Boruszczaka jako osób nieprzebywających w tym czasie w Jedwabnem, a jednak kilkakrotnie podpierał swoje tezy relacjami obu Żydów. Także fakt szantażowania innych mieszkańców Jedwabnego przez Eliasza Grądowskiego i wymuszania przez niego pieniędzy pod groźbą fałszywego oskarżania nie jest dla amerykańskiego socjologa czynnikiem dyskwalifikującym – rzecz niewymagająca komentarza.

Ostatecznie sąd uznał winę części oskarżonych, skazując jednego z nich, Karola Bardonia, na karę śmierci – zamienioną później na piętnaście lat więzienia – i kilku innych oskarżonych na kilkunastoletnią odsiadkę. Sąd nie uwzględnił okoliczności łagodzących ani faktu, że skazani działali pod przymusem Niemców, ale w sentencji zauważył:

„W morderstwie tym wzięli udział Niemcy w liczbie kilkudziesięciu, w tym samych gestapowców 68 i miejscowa ludność, która do działania została wciągnięta przemocą".

Tym samym sąd podzielił pogląd między innymi Julii Sokołowskiej, kucharki z posterunku żandarmerii, która przygotowywała dla Niemców obiady i która zeznała, że „funkcjonariuszy gestapo było 68 i wielu żandarmów". Apologeci Grossa, rzecz jasna, twierdzą, że to niemożliwe, zarazem jednak nie podają podstawy źródłowej swojej niewiary. Koniec końców nawet ten niedbały i ewidentnie podlegający naciskom sąd – to delikatne określenie – w oparciu o zgromadzony materiał dowodowy nie był w stanie spełnić oczekiwań zleceniodawców i w sentencji wyroku wskazał na Niemców jako na głównych winnych pogromu w Jedwabnem. Otwarte pozostaje pytanie: dlaczego tak się stało? Czy sędzia się zorientował, że brak zaakcentowania roli Niemców podważyłby akt oskarżenia – bo przecież dekret sierpniowy penalizował współpracę z Niemcami – czy zdecydował się na taki werdykt, bo po prostu wiedział, jaka jest prawda i ruszyło go sumienie? Czy może wydarzyło się coś jeszcze, o czym nie wiemy? To jedna z wielu tajemnic dotyczących tej historii. Jest faktem, że w realiach, jakie były – odgórnych nacisków i ewidentnego preparowania sprawy zmierzającego do przerzucenia wyłącznej winy na Polaków – wydany wyrok to był odważny krok. Wskazywał sprawstwo Niemców i potwierdzał – wbrew temu, co napisał później Gross – że było ich nie ośmiu, lecz co najmniej sześćdziesięciu ośmiu – a to jednak wielka różnica, prawda?

W drugim, rozpoczętym w 1967 i trwającym siedem lat procesie prokuratorzy z Białegostoku postanowili dokładnie wyjaśnić to, czego nie wyjaśniono w 1953, a nie wyjaśniono, bo nikogo to nie interesowało, po prostu: uczestnictwo w zbrodni jednostek niemieckich. Uznano, że ponieważ Polaków skazano wcześniej, nie ma sensu podążać tymi samymi tropami. Przyjęto założenie, że w mordowaniu Żydów uczestniczyli niemieccy żandarmi z posterunku w Jedwabnem i w ramach pomocy prawnej sporządzono dwa wnioski o ściganie sprawców. Wnioski wysłano do Republiki Federalnej Niemiec, wskazując na siedmiu morderców, a potem na jeszcze trzech. Dosłowne przesłanie było jasne: „wymienieni w dniu 10 VII 1941 umieścili w stodole 900 mężczyzn, kobiet i dzieci narodowości żydowskiej po czym spalili ich żywcem". Ostatecznie dokumenty trafiły do prokuratury w Itzehoe, ale okazało się, że Niemcy nie rwą się do współpracy. Po trzech latach śledztwa niemiecka prokuratura umorzyła postępowanie, jak podano, z braku dowodów – i było pozamiatane.

W takich okolicznościach przyrody prokurator Waldemar Monkiewicz zrobił tyle, ile mógł zrobić, ale i tak całkiem sporo. Jego ustalenia znacząco różniły się od poczynionych dwadzieścia lat wcześniej: liczący blisko dwustu żołnierzy oddział specjalny „Komando Białystok", dowodzony przez gestapowca Wolfganga Birknera, połączył siły z policją pomocniczą i miejscową żandarmerią. Liczebność Niemców wyliczono na podstawie zeznań Julii Sokołowskiej, która z kolei całościową liczbę niemieckich zbrodniarzy oceniła na dwieście czterdzieści osób: sześćdziesięciu ośmiu gestapowców – pamiętała dokładnie, że tyle przygotowała dla nich obiadów – i około stu siedemdziesięciu pozostałych żołnierzy oraz policjantów. Wbrew twierdzeniom apologetów Grossa zeznania Sokołowskiej z 1974 nie przeczyły tym złożonym przed laty. Twierdziła wówczas, że w Jedwabnem było sześćdziesięciu ośmiu gestapowców i wielu innych Niemców – po dwudziestu pięciu latach właściwie tylko to powtórzyła. Zeznania te precyzują jedynie, o czym myślała mówiąc „wielu". Białostocka prokuratura uznała, że zbrodni w Jedwabnem dokonali okupanci – policja pomocnicza zebrała Żydów na rynku, a stąd zapędzono ich do stodoły. Pozostali Niemcy stodołę podpalili – tak dokonało się tragiczne dzieło zniszczenia.

Ostatnie śledztwo rozpoczęło się we wrześniu 2000 – i było pierwszym postępowaniem Oddziałowej Komisji Ścigania Zbrodni przeciwko Narodowi Polskiemu w Białymstoku. Stanowiło ono bezpośredni skutek ukazania się „Sąsiadów" Jana Tomasza Grossa, i – trzeba to jasno powiedzieć – rozpoczęło się w niezwykłych okolicznościach. Zanim bowiem śledztwo na dobre ruszyło – w praktyce się skończyło.

Nieomal natychmiast po ukazaniu się książki Grossa wszyscy ludzie na wysokich stołkach, od prezydenta Polski Aleksandra Kwaśniewskiego, po wszelakie „autorytety moralne", nie wyłączywszy biskupów, przeprosili na wszystkie sposoby za „polską zbrodnię" w Jedwabnem, a szef IPN, a więc także szef prokuratorów prowadzących śledztwo Leon Kieres zdążył nawet polecieć do Stanów Zjednoczonych, by Żydów przeprosić osobiście.

Jaki mógł być wynik śledztwa prowadzonego w takich warunkach?

„Było tak, jakby ktoś chciał powiedzieć: czego szukacie? W tym śledztwie tego nie znajdziecie – bo my wam nie pozwolimy" – mówił mi wiele lat później jeden z białostockich prokuratorów. W tej sytuacji chodziło już tylko o to, by pozostał chociaż jakiś ślad...

Mimo że było, jak było, śledztwo prowadzono szeroko. Przesłuchano ponad stu świadków, w kraju i za granicą, od Stanów Zjednoczonych i Kanady, po Izrael i Niemcy. Przesłuchującym zapadł w pamięć znamienny fakt: wydarzenia z lipca 1941 Żydzi zapamiętali zupełnie inaczej niż zapamiętali je Polacy, którzy podkreślali silną reprezentację niemieckich wojsk, a której to reprezentacji Żydzi nie zapamiętali. Takie odmienne postrzeganie rzeczywistości, po prostu.

Po zbadaniu dokumentów w Polsce i Niemczech uwagę prowadzącego śledztwo prokuratora Radosława Ignatiewa przykuł wątek grupy operacyjnej wydzielonej z urzędu gestapo Ciechanów – Płock, dowodzonej przez dowódcę SS – Hauptsturmführera Hermanna Schapera. Materiały z archiwów niemieckich – z Centrum Dokumentacji Zbrodni Nazistowskich w Ludwigsburgu – wskazywały jednoznacznie na obecność komanda Schapera w powiecie łomżyńskim i jego udział w zbrodniach między innymi w Radziłowie i Wąsoszu. Dane potwierdzały, że eksterminację Żydów w pierwszym okresie okupacji przeprowadzało Einsatzkommando SS Zichenau-Schröttersburg wypełniające rozkazy Heydricha odnośnie do zapełniania „próżni bezpieczeństwa policyjnego" i eksterminacji ludności żydowskiej na nowo zajętych terenach – w tym w okolicach Łomży.

W oparciu o dostępne dokumenty i zeznania świadków niemiecki badacz, radca sądowy Martin Opitz, precyzyjnie zrekonstruował trasę przemarszu esesmanów latem 1941. W końcu czerwca oddział Schapera był w Wiznie, 5 lipca w Wąsoszu, 7 – w Radziłowie, 10 – w Jedwabnem, 22 sierpnia – w Tykocinie. Według niemieckich archiwów w każdym z tych miejsc esesmani mieli działać dokładnie tak samo: robić, co było do zrobienia, ale też wykorzystywać antyżydowskie nastroje zainicjowane zdradą Żydów i poparciem dla Sowietów w 1939. Opitz zwrócił się do izraelskich władz z prośbą o pomoc prawną dotyczącą działalności Hermanna Schapera – i taką pomoc otrzymał. Odnaleziono dwoje żyjących świadków, z Radziłowa i Tykocina, niezwykłych świadków, bo ich zeznania powinny dać wiele do myślenia każdemu badaczowi – a może raczej: każdemu uczciwemu badaczowi. Chaja Finkelstein, ocalona z pogromu w Radziłowie przeprowadzonego trzy dni przed zbrodnią w Jedwabnem, po okazaniu zdjęć żołnierzy niemieckich rozpoznała dwóch, w tym dowodzącego akcją Hermanna Schapera. Powiedziała krótko: „rozpoznana osoba wydawała rozkazy innym Niemcom i Polakom". Według jej relacji było tak: gestapowcy przyjechali w trzech samochodach. Razem z polskimi policjantami sprowadzili Żydów na rynek. Potem zapędzono ich do stodoły za miastem i spalono. Podobną relację złożył Izaak Feler, ocalały Żyd z Tykocina. On również rozpoznał Schapera jako wydającego rozkazy przybyłym do Tykocina Niemcom. Przyjechali czterema ciężarówkami. Rozstrzelali Żydów, a po wszystkim kazali miejscowym chłopom zakopać zabitych w lesie, w przygotowanych zawczasu dołach.

Radcy Opitzowi nie udało się dotrzeć do żadnego świadka, który opowiedziałby , jak to było z grupą Schapera w Jedwabnem, ale dla każdego uczciwego śledczego było jasne, że i tak odkrył więcej niż dużo. Jako były szef delegatury ABW w Lublinie, który brał udział w setkach śledztw, rozumiałem wagę tego odkrycia. Zapytajcie jakiegokolwiek sędziego, prokuratora, adwokata czy policjanta, czym w sprawie o trzy morderstwa były- by dla nich zeznania świadków potwierdzające, że w na własne oczy widzieli, jak oskarżony mordował w Radzi- łowie, a kilkanaście dni później mordował w Tykocinie. A w międzyczasie policja ustaliła na podstawie bilin- gów, że ten sam morderca był w Jedwabnem kilka dni po zbrodni w Radziłowie i było to dokładnie tego dnia, gdy zamordowano tam innego człowieka – zamordowano dokładnie w ten sam sposób, co w Radziłowie! I takie dowody oraz przesłanki są jeszcze poparte innymi dowo- dami i przesłankami. Powiem wam jedno: taki gość nie miałby żadnych szans, bo w oparciu o przesłanki mniej- szej wagi bandyci do końca życia oglądają świat zza krat. I tym właśnie było, a raczej powinno być, odkrycie radcy Opitza – przełomem pokazującym jasno, że w Jedwab- nem Żydów mordowali Niemcy. Bo wszystko odbyło się dokładnie tak, jak w mojej analogii, z tą różnicą, że w Radziłowie, Jedwabnem i Tykocinie nie było jednego mordercy, tylko wielu morderców i oczywiście Opitz nie miał bilingów Schapera, tylko dokumenty potwierdzają- ce, że 10 lipca 1941 oberbandyta był ze swoją bandycką grupą „na występach" w Jedwabnem.

Radca Opitz rozumiał, co odkrył i o swoim odkryciu na- tychmiast poinformował prokuraturę w Hamburgu, a ta wszczęła dochodzenie w sprawie morderstw w okolicach Łomży. W owym czasie Hermann Schaper vel Karl Biliń- ski – bo bandzior funkcjonował także pod zmienioną tożsamością – mieszkał w Hamburgu i był już tylko starym, schorowanym człowiekiem, który oczywiście zaprzeczył wszystkiemu. Kluczył w zeznaniach, opowiadając „historyjki na dobranoc": raz był kierowcą, innym razem tylko załatwiał w Łomży sprawy administracyjne, jeszcze innym ścigał podwójnych sowieckich agentów, ale mordować bezbronnych ludzi? Nigdy! Jednym słowem anioł wcielony, który tylko przez przypadek sfrunął na ziemię, albo co najmniej człowiek, który jest bielszy niż biel. Dla Schapera rozpoczął się korowód procesowy – najpierw prokuratura umorzyła sprawę, potem sprawa wróciła i sąd skazał go na sześć lat więzienia, następnie Trybunał Federalny w Karlsruhe przekazał jego postępowanie innej izbie karnej. Do ponownego rozpoznania sprawy Schapera jednak nie doszło, bo adwokat skazanego esesmana przedstawił zaświadczenie lekarskie o niemożności uczestniczenia jego klienta, przecież Bogu ducha winnego, stojącego nad grobem staruszka, w procesie. W takiej sytuacji wszystko, co udało się prokuratorowi Ignatiewowi, to doprowadzić do przesłuchania Schapera. 10 kwietnia 2002 dowódca morderczego komanda zeznał, że w 1941 pełnił służbę w oddziale wydzielonym Urzędu Gestapo Ciechanów–Płock i dostał rozkaz zabezpieczenia dokumentów porzuconych przez Rosjan na zapleczu działania Wehrmachtu oraz neutralizacji agentów NKWD. Twierdził, że po to właśnie pojechał do Łomży, a przy rozstrzelaniu Żydów był tylko raz, ale już nie pamięta, gdzie to było. Zaprzeczył, by w sierpniu 1941 był w Tykocinie i tylko słyszał o jakichś innych oddziałach niemieckich działających w okolicy oraz o niekontrolowanych wystąpieniach antyżydowskich miejscowej ludności. Do szczegółów Schaper nie odniósł się wcale, bo zabronił mu lekarz – to byłoby niebezpieczne dla zdrowia sędziwego staruszka, który nie skrzywdziłby muchy, a którego pomawiają o takie rzeczy! Niemiecki prokurator skontaktował się telefonicznie z lekarzem, od którego uzyskał informację, że przesłuchiwanie Hermanna Schapera stanowi zagrożenie dla jego zdrowia i życia. Zlecono więc badania, a potem temat zamknięto. I tyle. Tak więc Ignatiewowi nie udało się zadać większości przygotowanych pytań, a te, które zadał, doczekały się odpowiedzi urągających inteligencji kilkuletniego dziecka.

Na koniec okazało się, że archiwalne akta zebrane przez radcę Opitza uległy zniszczeniu i to by było na tyle z tej historii, która mimo wszystko rzuciła dużo światła na wydarzenia z lipca 1941. Światła, które w ogóle, ale to w ogóle nie zainteresowało autora „Sąsiadów", doskonale wiedzącego o wątku niemieckich ustaleń w badanej przez siebie sprawie, ale nie zrobił nic, by skończyć z brodzeniem w kłamstwie i ciemności. Odpowiedź na pytanie powracające jak bumerang: dlaczego? – nie jest skomplikowana. Bo już tylko to, co udało się ustalić, podważało jego narrację. Podobnie przecież postąpił w odniesieniu do relacji Rywki Fogiel, którą zawarła

w „Sefer Jedwabne. Historiya ve-zikaron". „Siostry, żona
Abrahama Kubrzańskiego oraz żona Saula Binsztajna,
którzy opuścili Jedwabne z Rosjanami, wycierpiały bardzo dużo z rąk niemieckich. Postanowiły one popełnić sa-
mobójstwo wraz ze swymi dziećmi. Wymieniły się dziećmi i razem skoczyły do głębokiej wody. Nieżydzi, którzy
znajdowali się w pobliżu, wyciągnęli je stamtąd. One jednak skoczyły do wody jeszcze raz i utopiły się". Jak to się
ma – ta relacja Żydówki, która nie ukrywa przecież swojej niechęci do Polaków – do relacji Wasersztajna, który
dokładnie tę samą historię przedstawił zupełnie inaczej
i według którego Polacy tych nieszczęśników nie rato-
wali, a topili. Co zrobił Gross z tymi i wieloma innymi
rozbieżnościami?

Nic – bo całkowicie pominął to, co mu nie pasowało do
tezy.

Wszystko – bo wybrał dokładnie to, co mu do tezy pasowało.

Tak czy inaczej, nawet przy wszystkich swoich trud-
nościach i ograniczeniach śledztwo prowadzone przez
białostocki IPN było ważnym etapem na karkołomnej,
pełnej przeszkód i zakrętów drodze do prawdy o zbrodni
w Jedwabnem – a szczególnie ważnym krokiem była tu
ekshumacja, bo choć ograniczona, a potem nagle przerwana, do reszty obnażyła fantazje Jana Tomasza Grossa i jego apologetów. A było tak.

W marcu 2001 Rada Ochrony Pamięci Walk i Męczeństwa w Warszawie zleciła profesorowi Andrzejowi Koli, archeologowi z Uniwersytetu Mikołaja Kopernika w Toruniu, zbadanie miejsca, w którym mógł znajdować się relikt stodoły Śleszyńskiego – miejsce spalenia Żydów z Jedwabnego oraz zbiorowa mogiła. Podstawą badań były zdjęcia lotnicze z lat pięćdziesiątych, na których uwidoczniono szczątki stodoły i duży grób zewnętrzny. Planowano przebadać także pozostałość cmentarza żydowskiego, ale na to nie zgodziła się już strona żydowska, którą reprezentował między innymi rabin Ekstein. Za merytoryczną stronę prac ze strony polskiej odpowiadała Małgorzata Grupa, uznana archeolog, która zdobywała doświadczenie między innymi podczas prac na miejscach kaźni polskich oficerów w Katyniu i Charkowie.

Archeologowie przyjechali na miejsce i – pod specjalnym nadzorem Żydów, bo do tego to sprowadzono – krok po kroku odnajdywali dowody przeczące wersji Grossa. W obrębie reliktu stodoły badacze odnaleźli cztery łuski karabinowe typu Mauser i jedną typu Mosin, a w kolejnych dniach jeszcze piętnaście łusek, dwa naboje, zapalnik oraz spłonkę z napisami w języku niemieckim. Kolejnym krokiem miała być już ekshumacja, po której spodziewano się uzyskać odpowiedź na dwa kluczowe pytania.

Ilu ich było?

I jak zginęli?

24 i 25 maja rozpoczęto prace przygotowawcze do ekshumacji, w trakcie których znaleziono między innymi
złote obrączki, łańcuszki i srebrny zegarek kieszonkowy,
a nazajutrz ujawniono kolejnych kilkadziesiąt łusek karabinowych Mauser 7,92 mm. Rozmawiałem z ludźmi,
którzy byli wtedy na miejscu ekshumacji – doświadczeni
archeolodzy, którzy to, co się tam wtedy działo, nawet
po latach wspominają jako pandemonium – istne piekło.
Następnego dnia prace zaczęto i natychmiast, na wiele
godzin, przerwano. Wrzaski i awantury, non stop nieuzasadnione pretensje o wszystko i zawieszone w powietrzu groźby – warunki, jakich nie spotkali nigdy i nigdzie
wcześniej. Naczelny rabin Warszawy i Łodzi Michael
Schudrich, który, nieformalnie, kręcił tym wszystkim,
dwoił się i troił, i bez przerwy coś z kimś konsultował, to
z Warszawą, to znów z kimś za granicą. Wielu ludzi decydowało o tym, co może się wydarzyć, a co nie – i wiele
wskazuje, że nie byli to Polacy.

A potem zaczęło się na dobre.

30 maja 2001 na terenie stodoły odnaleziono szczątki
pomnika Lenina, którego według żydowskich świadków
żadną miarą nie powinno tu być, ponieważ według „naocznych świadków" – jak przedstawiał Gross ludzi, których tragicznego dnia w ogóle w Jedwabnem nie było
– pomnik został zakopany na cmentarzu. Jakim więc
cudem ważący setki kilogramów monument Lenina teleportował się do stodoły? I co widzieli „świadkowie",

na których powołuje się Gross, a którzy w rzeczywistości tragicznego dnia znajdowali się o setki kilometrów od Jedwabnego?

I znów: dużo pytań – mało odpowiedzi.

Interesujące, że w obronę wersji Żydów kłamców wpisał się także Instytut Pamięci Narodowej, a konkretnie prokurator Radosław Ignatiew, któremu zabrakło odwagi, aby pewne rzeczy nazwać po imieniu. Przykładem są łuski po nabojach odnalezione na terenie stodoły i grób odnaleziony na zewnątrz stodoły Śleszyńskiego. Zastanawiający jest zwłaszcza fragment uzasadnienia postanowienia o umorzeniu śledztwa zaciemniający obraz żydowskiej manipulacji: „Nowo ujawniony grób wewnątrz obrysu kamiennego fundamentu stodoły jest miejscem pochówku kilkudziesięciu mężczyzn, w tym rabina i rzezaka (w grobie znaleziono ostrze rytualnego noża rzezaka). Mężczyźni ci zostali zmuszeni do przyniesienia z miasta dwóch części rozbitego popiersia Lenina. Następnie zostali zabici, a ich zwłoki wrzucono do dołu wcześniej wykopanego wewnątrz stodoły. Na zwłoki wrzucono betonowe fragmenty pomnika. Zapewne zabójstw dokonano w stodole, a więc w ukryciu przed osobami postronnymi. Potwierdzają to dane w dotychczasowych przekazach historycznych i zeznaniach świadków, gdzie typowano cmentarz żydowski jako miejsce egzekucji i pochowania osób z grupy niosącej fragmenty pomnika Lenina. Ustalenia w czasie czynności ekshumacyjnych pozwoliły więc na weryfikację prawdziwości niektórych danych historycznych i zeznań świadków". Prokurator stwierdził, że odnalezienie nowego grobu ze szczątkami mężczyzn i postumentu Lenina na terenie stodoły jest zgodne z danymi zawartymi w przekazach historycznych, czyli, mówiąc wprost, z zeznaniami świadków żydowskich, w których jako miejsce pochówku i egzekucji osób z grupy niosącej fragmenty pomnika Lenina wskazano cmentarz żydowski. Kiedy czytałem uzasadnienie, przypomniałem sobie stare porzekadło: jeśli myślisz – nie mów, jeśli mówisz – nie pisz, jeśli piszesz – nie podpisuj – i zastanawiałem się, czy prokurator Ignatiew też je zna. A jeśli nie, to warto, by je poznał i dobrze sobie przyswoił. Bo kto w końcu ma rację: świadkowie żydowscy, którzy mówili o pomniku Lenina zakopanym na cmentarzu czy polscy archeologowie, którzy znaleźli ten pomnik zakopany w stodole? Aby dokładnie zrozumieć dylematy prokuratora Ignatiewa, najlepiej oddać głos kolejnemu „wiarygodnemu" świadkowi, na relację którego wielokrotnie powoływał się autor „Sąsiadów".

Avigdor Kochav vel Wiktor Nieławicki: „na środku rynku stała statua Lenina. Goje zmusili starego rabina do noszenia posągu i recytowania:»My, Żydzi, jesteśmy odpowiedzialni za wojnę i chcemy, aby wojna trwała«. Następnie zarządzili pochówek posągu na cmentarzu żydowskim". Przywołany tekst to fragment relacji złożonej w Yad Vashem przez Nieławickiego vel Avigdora Kochava, który zapewnił, że był naocznym świadkiem wydarzeń w Jedwabnem. Ciekawe, czy po ekshumacji 30 maja 2001 zmienił kłamliwe zeznania, całkowicie podważone odkryciem archeologów. Generalnie ten dzień – z punktu widzenia ludzi poszukujących prawdy o zbrodni w Jedwabnem – to niezwykły i pamiętny dzień. W nowo odkrytym grobie poza stodołą, w obrębie ludzkich szczątków znaleziono kolejną łuskę karabinową, a zaraz potem, w grobie, następną łuskę. Zabezpieczono też liczne odnajdywane w mogiłach przedmioty, kolejne złote obrączki, łańcuszki, monety. Wszystko to miało znaczenie, bo przecież żydowscy „świadkowie" twierdzili, że tabunom polskich zbrodniarzy nie dość było Żydów zabić – potem pracowali wytrwale, by już po śmierci swoje ofiary okraść.

Polscy archeolodzy na pewno nie dotarli do wszystkiego, ale im głębiej „kopali", tym gorzej wyglądało to dla wersji Jana Tomasza Grossa, na której zbudowano mit o polskiej zbrodni i wręcz quasi-nazizmie. Najważniejsze miało jednak dopiero nastąpić – pozornie drobne odkrycie, które na pierwszy rzut oka mogło nie znaczyć nic, w rzeczywistości jednak zmieniało wszystko.

30 maja archeolodzy pracujący przy ekshumacji w Jedwabnem znaleźli łuskę typu Mauser kaliber 7,92. Bardzo to było interesujące, bo okazało się, że pocisk, którego pozostałość stanowiła łuska, został wystrzelony z karabinu maszynowego MG 42. Karabinu, który

co prawda wszedł do seryjnej produkcji na przełomie 1941/1942 – a więc już po zbrodni w Jedwabnem – ale którego prototyp powstał latem 1939, a więc przed agresją niemiecką na Polskę i który na początku 1941 w liczbie tysiąca siedmiuset egzemplarzy znalazł się w rękach niemieckich żołnierzy jako broń testowana w warunkach bojowych. Potem, na żądanie Wehrmachtu, dopracowano konstrukcję karabinu, zwiększając jego szybkostrzelność i nadano mu oznaczenie MG 39/41. Najciekawsze było jednak nawet nie to, że taką łuskę znaleziono, ale to, gdzie ją znaleziono – poniżej sześćdziesięciu centymetrów od powierzchni ziemi, na terenie grobu w stodole Śleszyńskiego, pod resztkami betonowego postumentu Lenina. Zapyta ktoś – ktoś nie do końca w sprawie zorientowany – dlaczego znalezienie tej właśnie łuski w tym właśnie miejscu było tak doniosłym wydarzeniem, skoro w okolicach stodoły i grobu w Jedwabnem znaleziono kilkadziesiąt innych łusek różnego typu? Nie jest to pytanie, na które liczba potencjalnych wariantów odpowiedzi zmierzałaby do nieskończoności, a przeciwnie, jest tu tylko jedna sensowna odpowiedź – bo ta łuska to cała prawda o tym, kto zabijał Żydów w Jedwabnem. Znalezienie wszystkich innych łusek i nabojów w Jedwabnem teoretycznie można wytłumaczyć tym, że pochodzą z późniejszego bądź wcześniejszego okresu. Jak jednak wytłumaczyć znalezienie łuski z broni, którą żołnierze niemieccy otrzymali niedługo przed realizacją planu

„Barbarossa" – agresji na sojuszniczy Związek Radziecki – i która to łuska znalazła się pod zakopanym pod ziemią 10 lipca 1941 monumentalnym obeliskiem Lenina? Z punktu widzenia twórców mitu o polskiej zbrodni w Jedwabnem na to pytanie nie było dobrej odpowiedzi. Więcej – nie było żadnej odpowiedzi, więc w takiej sytuacji ktoś postanowił zamknąć to wszystko. Kto mógł to zrobić, pokazały dalsze wydarzenia, które od tego momentu potoczyły się już błyskawicznie. Rabin Schudrich już nawet nie próbował ukrywać, że to nieoficjalnie nadzorujący w imieniu Żydów pracę w Jedwabnem rabin Ekstein gra tu pierwsze skrzypce, tak jednak czy inaczej, obaj, zgodnie, zażądali przerwania ekshumacji. Powód? Bo zbliża się szabas. Cóż można powiedzieć? Pretekst mało wyszukany i górnolotny, za to dobry jak każdy inny – ale fakt: nie posłużyli się inwencją. Mówiąc szczerze nie musieli.

Przyparci do muru przedstawiciele najwyższych polskich władz z ministrem sprawiedliwości Lechem Kaczyńskim i prezydentem Aleksandrem Kwaśniewskim na czele uznali żądanie Schudricha za wiążące. Polecenie było jasne: eksploracja grobu i terenu stodoły tylko do momentu ujawnienia zwartych zespołów kości ludzkich w układzie anatomicznym. Zabroniono podnoszenia kości – a taki sposób prowadzania badań, to była ślepa uliczka po prostu. Prowadzący ekshumację polscy naukowcy, z odpowiedzialną za pracę na miejscu Małgorzatą Grupą na czele, zaprotestowali – nie po raz pierwszy, ale, jak się okazało, po raz ostatni.

4 czerwca minister sprawiedliwości Lech Kaczyński podjął decyzję o zakończeniu prac ekshumacyjnych prowadzonych przez Instytut Pamięci Narodowej, jak to określono, z powodu wyczerpania możliwości badawczych. Szczątki ludzkie po ich zbadaniu złożono w obu grobach – i groby zasypano. Decyzja ministra o zakończeniu ekshumacji była niezrozumiała, bo powoływanie się na zasady religii żydowskiej było w tym wypadku jedynie łatwym do sprawdzenia wybiegiem. Zgodnie z halachą, wykładnią prawa mojżeszowego, ekshumacji można dokonać w celu przeprowadzenia ponownego pochówku, przeniesienia zmarłego do innej mogiły – gdy pierwszy grób miał być w założeniu tymczasowy – jeśli grób znajduje się w miejscu bez nadzoru lub w miejscu nietypowym, poza cmentarzem. W przypadku pochowanych w Jedwabnem zachodziły i nadal zachodzą wszystkie wskazane tu przesłanki jednocześnie! Inną, a wielce wymowną kwestią jest to, że w tym wypadku przedłożono żydowskie prawo religijne ponad prawo państwa polskiego – fakt, który więcej mówi o tym, kto naprawdę podejmował decyzję w sprawie przerwania ekshumacji w Jedwabnem, niż jakiekolwiek słowa.

Jaka była prawdziwa przyczyna przerwania ekshumacji? Odpowiedź nie jest trudna.

Rabini rozumieli dobrze, że z każdą zdejmowaną z miejsca pochówku warstwą ziemi, odkrywana jest prawda o oszustwie Jana Tomasza Grossa. Rzecz w tym, że w tamtym momencie nie był to już problem tylko Jana Tomasza Grossa, ale szeroko rozumianego Przedsiębiorstwa Holokaust, które od roku prowadziło już gigantyczną kampanię oszczerstw pod adresem Polski i Polaków. Oszczerstw, dla których brednie Grossa stały się fundamentem z widokami na przyszłe wielomiliardowe roszczenia i których broniono już na zasadzie obrony twierdzy, z której uciekli ostatni mieszkańcy – bo na logikę rzecz biorąc wydawało się, że tu już nie ma czego bronić. A jednak robiono to nadal i rzecz najbardziej szokująca – robiono skutecznie. Pokazało to dwie rzeczy: z jednej strony potęgę Przedsiębiorstwa Holokaust, czyli Żydów po prostu, z drugiej – słabość polskiego państwa.

Rabin Michael Schudrich i inni rozegrali rzecz całą po prostu koncertowo, dokładnie tak, jak chcieli. Pozostawał jeszcze tylko jeden problem – tajemnicza łuska, która spędzała sen z powiek apologetom kłamstwa. W następnych miesiącach i latach próbowano sobie z tym problemem poradzić i to na wiele sposobów. Wymyślano rozmaite teorie, że najpewniej ktoś ją podrzucił, że nie mogła tak przetrwać w nienaruszonym stanie niestrawiona przez ogień i wiele innych niestworzonych rzeczy. Rzecz w tym, że wszystkie te teorie w zderzeniu z faktami i logiką okazywały się funta kłaków warte. Bo niby kto i przede wszystkim jak miał tę łuskę podrzucić, nie pozostawiając najmniejszych nawet śladów, przekopując się przez nieodkryty wcześniej przez dziesiątki lat grób ofiar – o którym przed ekshumacją nikt nie wiedział, gdzie dokładnie jest – podnosząc ważący setki kilogramów monument? Nieprawdopodobnie abstrakcyjna teoria, wymagająca wyobraźni, która wyrabia nadgodziny – bardzo wiele nadgodzin.

A ogień? Leżąc pod betonowym fragmentem ciężkiego pomnika łuska była doskonale chroniona zarówno przed ogniem, jak i działaniem wysokiej temperatury.

Próbował się z tym zmierzyć także prokurator Ignatiew, który argumentował, że użycie broni palnej przy stodole w Jedwabnem nie miało miejsca, ponieważ taki fakt w zeznaniach świadków zaczął się pojawiać „zasadniczo" dopiero po ujawnieniu odnalezienia łusek podczas ekshumacji. Dobrze, że prokurator Ignatiew użył słowa „zasadniczo", bo uchroniło go to przed zarzutem mówienia nieprawdy. O rozstrzeliwaniu Żydów mówił przecież już nawet sędzia Małkowski w 1953 podczas uzasadniania skazania Władysława Dąbrowskiego na osiem lat więzienia. „Nadmienić należy, że w pierwszym stadium postępowania Niemców polegającym na dokonaniu zbiórki Żydów mógł oskarżony nie przewidzieć dalszych skutków, jakimi były spalenie i rozstrzeliwanie Żydów na cmentarzu" – to słowa sędziego Małkowskiego, nie Tomasza Budzyńskiego.

Czy prokurator Ignatiew naprawdę o tym nie wiedział?

A jeśli wiedział, dlaczego mówił to, co mówił? Nie mając sposobu na poradzenie sobie z tajemnicą niezwykłej łuski, odłożono wyjaśnienie sprawy ad acta, czyli mówiąc wprost – skazano tajemnicę na zaciszenie na wieki wieków amen.

Tymczasem rozwiązanie zagadki było i wciąż jest przed naszymi oczami – jedyne racjonalne rozwiązanie. Ta łuska to dowód, że 10 lipca 1941, a więc w dniu, w którym zakopano postument Lenina, przykrywając łuskę, ktoś do kogoś strzelał.

Kto mógł strzelać? Kto mógł mieć wtedy broń palną? Polacy? Wykluczone. Żydzi? Oczywista abstrakcja. W lipcu 1941 w Jedwabnem karabiny mogli mieć tylko Niemcy – i to Niemcy strzelali do jedwabieńskich Żydów! A jeżeli tak, to kto odpowiada za zbrodnię? Nie trzeba stawiać kropki nad i, podobnie jak nie trzeba bujnej wyobraźni, by zrozumieć, jak trudne do przyjęcia byłoby takie wytłumaczenie – jedyne racjonalne – dla Grossa i tych wszystkich, dla których jego bajdurzenie stało się prawdą objawioną.

Wielkim błędem, choć może nie wyłącznie zawinionym, prokuratora Ignatiewa, była powściągliwość w ocenie tak oczywistych faktów. Kończąc śledztwo, prokurator próbował wejść w rolę siedzącego okrakiem na barykadzie, usiłował zadowolić obie strony sporu – Polaków i Żydów – i wskazywał na inspirację, inicjatywę oraz sprawstwo kierownicze Niemców, ale zarazem na winę za zbrodnię

Polaków. Karkołomna teoria, niepoparta dowodami, ale zważywszy na fakt, że po wydaniu książki Grossa wszyscy ważniacy w Polsce i na całym świecie zresztą też, a priori uznali winę Polaków, w jakiejś mierze zrozumiała. Ignatiew postąpił po prostu w myśl powiedzenia, którego autorstwo przypisywane jest Abrahamowi Lincolnowi, a które dobrze cechuje ludzi ostrożnych, by nie powiedzieć tchórzliwych, dla których liczy się przede wszystkim to, co praktyczne: jeśli złapałeś słonia za tylną nogę, a on próbuje się wyrwać, lepiej mu na to pozwolić. W tamtych realiach kwestionowanie zgodnego, ale niepopartego niczym, żadnym konkretem, zdania prezydenta kraju, autorytetów moralnych ze wszystkich możliwych stron, biskupów, mediów i jeszcze na dokładkę swojego szefa, prezesa IPN Leona Kieresa, który osobiście przeprosił amerykańskich Żydów za „polską zbrodnię", byłoby ze strony Ignatiewa aktem olbrzymiej odwagi, graniczącej z zawodowym samobójstwem. Niektórzy ludzie mają w sobie to nieokreślone coś, co tak trudno nazwać słowami, a co powoduje, że człowiek w obliczu wszechpotężnego przeciwnika czy wszechpotężnego kłamstwa, o ile jest przekonany o słuszności sprawy, nie cofa się przed niczym, nigdy, przenigdy, milion razy nigdy – bez względu na okoliczności czy cenę. W przeważającej większości wypadków tego nie można się nauczyć, bo z genem tak niebywałej odwagi najczęściej człowiek się rodzi albo nie i albo to ma, albo nie – tak już jest i trudno coś na to poradzić. Prokurator Ignatiew najwyraźniej tego nie miał i dlatego zachował się kunktatorsko, jak człowiek, który chce zadowolić wszystkich i w efekcie nie zadowala do końca nikogo. Dokładnie jak w słynnym powiedzeniu premiera Wielkiej Brytanii Winstona Churchilla: człowiek, który zgadza się ze wszystkimi, nie zasługuje na to, by zgadzał się z nim ktokolwiek. Decyzja Ignatiewa to jeden aspekt sprawy – drugi to jej uzasadnienie. I tu prokurator pojechał już po bandzie.

Bo o ile od biedy można próbować zrozumieć, że nie każdy ma dość odwagi, by walczyć z wiatrakami, o tyle czynienie zarzutu z tego, że 10 lipca 1941 Polacy z Jedwabnego przyglądali się biernie niedoli Żydów, to jakby czynić zarzut z tego, że ludność Warszawy przyglądała się biernie codziennym łapankom i egzekucjom. Nie wierzyłem własnym oczom i uszom. A nie wierzyłem, bo coś tak surrealistycznego mógł wymyślić tylko ktoś, kto nie miał żadnego, ale to absolutnie żadnego pojęcia, czym była okupacja niemiecka w Polsce.

Dobrze pokazuje to relacja zawarta w dokumentach komórki wywiadowczej Armii Krajowej operującej na terenach zajmowanych przez Niemców w lipcu i sierpniu 1941, przesłana do kierownictwa Polskiego Państwa Podziemnego w Londynie: „Kara śmierci grozi za chodzenie do lasu, za posiadanie żywności i handel nią, za chodzenie po 9 wieczorem (po godzinie policyjnej), za posiadanie czegokolwiek, co należało do wojska sowieckiego". Jednym słowem – wojenna administracja niemiecka karała śmiercią za tak błahe przewinienia jak handel żywnością czy chodzenie do lasu. Twierdzenie, że w takich realiach Polacy mogliby przeciwstawić się przybyłym do miasteczka gestapowcom i odmówić wykonania rozkazu spędzenia żydowskich mieszkańców Jedwabnego na rynek, jest nieprawdopodobną ignorancją i niedorzecznością – i to jest ta lepsza dla prokuratora Ignatiewa i jemu podobnych wersja. Polacy nie mieli wyboru, a jeśli już to tylko taki, jak iść na krzyż czy wbijać gwoździe, czyli żyć czy umrzeć, po prostu.

Tak ostre wyrokowanie w zaciszu gabinetu, jak ma zachować się normalny człowiek w skrajnie nienormalnych warunkach, jakie wytworzyła II wojna światowa, w zerojedynkowej sytuacji, nie jest w porządku i może szkoda, że przed podjęciem takiego werdyktu prokuratorowi zabrakło wyobraźni, by odpowiedzieć sobie na choćby dwa pytania:

Jak w analogicznej sytuacji zachowaliby się Żydzi?

I drugie: jak zachowałby się on sam – człowiek, który nie znalazł w sobie odwagi, by postawić się przełożonemu, wbrew faktom i na długo przed zakończeniem śledztwa przesądzającemu o jego wyniku, a który w zaciszu gabinetu ma czelność rozliczać innych ludzi z braku odwagi w sytuacji tysiąckroć trudniejszej, w której nie chodziło o karierę czy prestiż, a po prostu – o życie?

Tak czy inaczej trzecie śledztwo nie wyjaśniło, jak było

naprawdę i nie zamknęło sprawy.

Co najwyżej zaciemniło jej obraz, a zarazem dało asumpt do kolejnych „gier" środowiskom żydowskim, tym razem uosabianym przez Instytut Yad Vashem. którego przedstawiciele zażądali, by na pomniku pojawiła się tablica opatrzona napisem, że zbrodni dokonali Polacy.

Z drugiej strony śledztwo obnażyło kolejne kłamstwa tak zwanych „naocznych świadków" tragedii w Jedwabnem, na których oparł się autor „Sąsiadów", i zweryfikowało liczbę ofiar, odnośnie do której po nawet tylko częściowej ekshumacji nie mogło być już wątpliwości, że wynosiła około trzystu ofiar – pięć razy mniej niż „ustalił" to Gross. Największe plusy śledztwa niewątpliwie były dwa: znaleziona pod pomnikiem Lenina łuska i pogłębienie informacji o działalności grupy Schapera, elementy, które obok ekshumacji – która, o ile mamy mieć jakąkolwiek szansę, musi zostać wznowiona! – dają nadzieję, że jeszcze nie wszystko jest stracone.

Opowiedzmy o dotychczasowych ustaleniach. Według autora „Sąsiadów" sprawcami tragedii w Jedwabnem mieli być polscy mieszkańcy miasteczka, którzy dokonali zbrodni z odwiecznego antysemityzmu i chciwości. Fundamentem pod takie oskarżenie jest relacja Wasersztajna, przetłumaczona z języka jidysz. Rzecz w tym, że relacje są dwie – druga, późniejsza, różniąca się od pierwszej, znajduje się w zbiorach Żydowskiego Instytutu Historycznego.

Zamiast jednak pójść tropem tych różnic, Jan Tomasz Gross bezkrytycznie przyjmuje wersję młodego człowieka po pięciu oddziałach szkoły zasadniczej, który okazał się kłamcą i mitomanem. Wykazał to między innymi proces w Sądzie Grodzkim w Łomży, w ramach którego Wasersztajn zeznawał, pomagając złodziejom z grupy Fabera. Sąd odrzucił jego zeznania jako skrajnie niedorzeczne. Obdarzając mitomana zaufaniem tak wielkim, jakby miał do czynienia z kronikarzem Wincentym Kadłubkiem, Gross przyjmuje jego wersje zdarzeń – dodajmy: bezkrytycznie przyjmuje obie te, różniące się, wersje. Według pierwszej z tysiąca sześciuset jedwabieńskich Żydów wojnę przeżyło siedmiu, według drugiej z tysiąca dwustu – tylko trzech. Według pierwszej oprawcy kazali nosić Żydom ogromny pomnik Lenina, co było zadaniem ponad ludzkie siły, według drugiej – tylko obraz Lenina. Co więcej według pierwszej – Wasersztajn wyszczególnił czternastu, wyjątkowo okrutnych morderców, według „wiernego" wyciągu, który z niej powstał – szesnastu. Gdyby w wyciągu lista potworów w ludzkiej postaci została zubożona, powiedzielibyśmy – co najmniej – o skandalicznej nierzetelności, w sytuacji ubogacenia listy o dwa nazwiska – Laudańskiego i folksdojcza Juliusza Szmidta – można już mówić o fałszerstwie. A jeśli tak, to kto ją ubogacił? Wiadomo, że nie Wasersztajn, który powiedział w jidysz, co powiedział. Rzecz w tym, że na bazie tego, co powiedział, zaczęły mnożyć się różniące się od siebie wersje tego, co naprawdę powiedział. Należałoby zatem sprawdzić, co naprawdę powiedział. Ale gdybyście chcieli to sprawdzić – gdyby ktokolwiek chciał i poprosiłby o dostęp do oryginalnego przekazu umieszczonego w zbiorach Żydowskiego Instytutu Historycznego – usłyszelibyście, że go nie dostaniecie i niczego nie sprawdzicie, z jednego prostego powodu – bo zaginął! Najważniejszy dokument dotyczący zbrodni w Jedwabnem, z którego powstały różne, przeczące sobie w wielu punktach tłumaczenia, fundament, na którym oparł swoją historię Jan Tomasz Gross i w którą uwierzył świat przekonany o zbrodniczym polskim narodzie – zaginął!!! To fakt, który świadczy więcej o całej tej historii niż jakiekolwiek słowa. Ale wróćmy jeszcze na moment do wyciągu i powiedzmy, czym jest, a raczej czym powinien być: wiernym, co do przecinka, odwzorowaniem relacji Wasersztajna. Według kodeksu postępowania administracyjnego wyciąg to skrótowy wypis z obszerniejszej treści, urywek, fragment wypisany z większej całości, skrót dokumentu. W tego rodzaju dokumencie nie ma miejsca na streszczenia, uwagi, zmianę sensu, treści. Po prostu ma być tak jak w dokumencie, koniec i kropka. W innym przypadku dokument, w którym dokonano zmian niezgodnych z treścią oryginału jest traktowany jako fałszerstwo i nie ma żadnej mocy prawnej. Co jednak w sytuacji, w której mamy dwie, w kilku punktach całkowicie sprzeczne relacje, tłumaczenia z oryginału, który zaginął?

Pierwsza z relacji stanowi dowolny przekład z jidysz, ale jaka jest granica dowolności w odniesieniu do oryginału? Nikt nie jest w stanie tego sprawdzić, bo pierwowzoru nie ma. Druga jest znacznie krótsza. No i jest jeszcze wyciąg, który nazwijmy umownie „trzecią relacją" – nie wskazuje daty zbrodni, 10 lipca 1941, nie wspomina o roli Niemców i o wydaniu rozkazu, nie zawiera dokładnych opisów zdarzeń, ale umiejscawia je w dniu 25 czerwca. Drastyczne rozbieżności w informacjach znajdujących się w tłumaczeniu relacji Wasersztajna oraz w wyciągu dają pewność, że jeden z dokumentów – a w skrajnym przypadku obydwa te dokumenty – zostały sfałszowane. Czy był to wyciąg, nazwany przez nas umownie „trzecia relacją"?

To prawdopodobne, bo w Urzędzie Bezpieczeństwa Publicznego takie rzeczy były na porządku dziennym, co komponuje się z charakterem zadań postawionych do realizacji agentowi „Rysiowi": „Ustalić świadków, którzy potwierdzą, że w czasie spędzania Żydów brali udział sami Polacy". W „trzeciej relacji" nie ma mowy o roli żandarmów czy innych niemieckich służb – jako sprawców wymienia się tylko Polaków mieszkających w Jedwabnem. Kto personalnie dokonał fałszerstwa mającego na celu poprowadzenie śledztwa w takim kierunku? Tego prawdopodobnie dowiemy się nieprędko, może nawet nigdy, ale możliwości są tylko dwie: zrobili to funkcjonariusze Urzędu Bezpieczeństwa Publicznego na odgórne polecenie albo dokument sfałszowała sporządzająca wyciąg tłumaczka z Żydowskiego Instytutu Historycznego, której podpis widnieje na wyciągu – Tatiana Brustin-Berenstein. Bardziej prawdopodobna wydaje się opcja numer dwa, bo to ŻIH firmuje wyciąg swoją pieczęcią i to tam, w archiwum tej instytucji, były i w dalszym ciągu są przechowywane kluczowe dla wyjaśnienia tej sprawy dokumenty.

Jaki mógł być powód tak nieuczciwego postępowania – fałszowania dokumentów po prostu – wyjaśnią słowa żydowskiego historyka Icchaka Rubina, który stwierdził: „Na charakter i treść tych opracowań (zeznań i wspomnień) w decydującej mierze wpłynęła epoka, w której zostały pisane, czyli te same siły polityczne, które ustaliły charakter i kierunek badań naukowych. Funkcjonariusze Komitetów Żydowskich mianowani przez partię komunistyczną, którzy zbierali te zeznania, wskazywali piszącym, kto jest winien i na co zasługuje". Nic dodać – nic ująć.

W przypadku relacji Wasersztajna treść wyciągu, potwierdzona urzędową pieczęcią za zgodność z oryginałem, niezgodna jest z treścią maszynopisu zawierającego tłumaczenie oryginału. A więc jedno z trojga – tłumaczenie jest fałszywką, fałszywy jest wyciąg albo oba te dokumenty są spreparowane. Która z opcji jest prawdziwa? Nie wiadomo, ale wiadomo jedno: nie jest możliwe, by obydwa te przeczące sobie dokumenty były równocześnie prawdziwe.

I kolejny wniosek: istniało kilka dokumentów zawierających różne relacje Szmula Wasersztajna. Który dokument jest prawdziwy? Bez oryginału wyjaśnić tego nie sposób. Jeśli jednak przyjmiemy, że dokumenty znajdujące się w aktach śledztwa, a przynajmniej jeden z nich, to fałszywka – a na sto procent jest fałszywką, bo jeśli dokumenty wzajemnie sobie przeczą, to wszystkie nie mogą być prawdziwe i przynajmniej część z nich jest fałszywa! – przekreśla to ni mniej, ni więcej, całą opowieść Grossa. I to już nawet pomijając kierujące nim pobudki, a tylko z jednego prostego powodu: ponieważ narracja amerykańskiego autora została oparta na sfałszowanych relacjach, a więc nie może być zgodna z prawdą. Kropka. Rozważania dotyczące weryfikacji dokumentacji zawierającej ocean niedopowiedzeń, półprawd – a więc i półkłamstw – oraz sprzeczności nazwane dla wzmocnienia wagi tej mistyfikacji „relacją" Szmula Wasersztajna są tak pełne sprzeczności i pozbawione wiarygodności faktograficznej, że już tylko o tym można by opowiadać godzinami. Porównanie różnych wersji zeznań Wasersztajna nie pozostawia cienia wątpliwości w odniesieniu do jednej z dwóch rzeczy: ktoś dopuścił się co najmniej gigantycznego, ale to absolutnie gigantycznego niedbalstwa, albo mamy do czynienia z czymś jeszcze gorszym: fałszerstwem i manipulacją – tak naprawdę wieloma fałszerstwami i manipulacjami. Jedno z dwojga jest bezspornym faktem, który nie pozostawia miejsca na interpretację. Czy tak oczywistego faktu mógł nie dostrzec Jan Tomasz Gross?

Odpowiedź otrzymamy, gdy uruchomimy logikę i zdrowy rozsądek – to niemożliwe.

A gdyby ktoś miał w tym zakresie jeszcze jakieś wątpliwości, musiałby je stracić, czytając właśnie Grossa, który odniósł się do kwestii różnic, tłumacząc je krótko: to tylko nieistotne szczegóły! Uznany przez świat „badacz", którego historyjka stała się aktem oskarżenia wymierzonym w cały naród, oświadczył, że sprzeczności, których nie da się wytłumaczyć, a które burzą cały fundament jego narracji, to nic nieznaczące szczegóły. Te pominięte „szczegóły" – to cała prawda o uczciwości i rzetelności Jana Tomasza Grossa. Spróbujcie zapytać jakiegokolwiek prawnika, prokuratora, sędziego czy specjalistę ze służb specjalnych, co sądzi o detalach, a powie wam, że są solą każdego rzetelnego śledztwa czy dochodzenia. Jako major ABW i były szef delegatury tej służby w Lublinie, który prowadził i nadzorował setki śledztw, wiem o tym tak dobrze, że nie muszę już lepiej. Jeżeli zatem fundament, na którym oparł się Gross, jest funta kłaków warty, ile warte jest to, co powstało na takim fundamencie? To początek, a dalej jest jeszcze gorzej. Niezweryfikowane, bezwartościowe materiały, wybiórczy, zmieniający wersje świadkowie – w rzeczywistości przestępcy, szantażyści i kłamcy, których tragicznego dnia w ogóle nie było w Jedwabnem, więc nie wiadomo czego są świadkami, niesprawdzone poszlaki, tuszowane dowody podważające z góry ustaloną wersję, subiektywne wnioski – każdy prawnik wam powie, że to najbardziej niedbałe śledztwo, jakie tylko można sobie wyobrazić. Tu nic nie trzymało się kupy.

No i te „szczegóły", o których z tak wielkim lekceważeniem mówił Gross – ale to właśnie te szczegóły stanowiły o różnicy, jak ta, która jest między życiem a śmiercią i między prawdą a pohańbieniem w oczach świata czterdziestomilionowego narodu, dla autora „Sąsiadów" detale bez znaczenia. Analizując wszystkie te materiały trudno wierzyć – wręcz nie da się w to uwierzyć – że to tylko błąd. Od biedy można by tak pomyśleć o każdej fałszywce z osobna, ale nie o wszystkich naraz. Wszystko to, co Gross pisał i mówił, każde słowo, nie szło na darmo, stało się kroplą drążącą kamień, brudną robotą obliczoną na użytek Przedsiębiorstwa Holokaust. Granica prawdy i fałszu została umyślnie zatarta tak, by jej przekroczenie było niezauważalne i by błądzono w tych manowcach, gdzie wszystko zostało rozmyte jak w świecie cieni. Tak by opinia publiczna w Polsce i na świecie mogła o tym dużo mówić, ale nigdy z sensem.

***

I taki mniej więcej miałem – a właściwie mieliśmy – obraz sytuacji, gdy kończyliśmy gigantyczną kwerendę opartą o tony materiałów i dziesiątki rozmów i gdy byliśmy już gotowi do przeprowadzenia całościowej analizy ponadrocznej pracy.

Wyłączyłem kamerę.

A potem zająłem się myśleniem.

W oddali słychać było coś, co mogło być wiatrem w lesie albo szumem granicznej rzeki uderzającej o brzeg – ale poza tym jak zwykle nic nie mąciło absolutnej nieomal ciszy. By to wszystko sobie przetrawić i przyswoić, potrzebowałem spokoju i ciszy właśnie. A Serpelice nad Bugiem takie właśnie były – spokojne i ciche.

Myślałem o tym wszystkim, co już wiedzieliśmy, ale także o tym, czego tylko się domyślaliśmy. Nie były to wesołe myśli. Prawda była taka, że mieliśmy do czynienia z przeciwnikiem, który niczym pająk zastawił sieci szeroko, był cierpliwy, podstępny, dysponował niezliczonymi hordami „śpiochów”, a raczej koni trojańskich, i który – będąc samemu potężnym – miał potężnych sojuszników. To, co z Polską robiło Przedsiębiorstwo Holokaust, bazujące na Grossach tego świata, było rodzajem teatru, a może raczej teatrzyku. Jedni grali w tym teatrzyku swoją rolę, bo byli Polakami tylko z nazwy, inni ulegali presji, jeszcze inni robili to dla stanowisk, prestiżu czy brudnej forsy. Ci ostatni byli pożytecznymi idiotami, którzy dali się zwieść i zmanipulować, ale fakty były

takie, że razem stworzyli świat, w którym jedno kłamstwo o Polsce i Polakach wzmacniało drugie, aż wreszcie wszystkie te kłamstwa połączyły się w jeden wielki
system kłamstw, w którym wszystko ze sobą się łączy
i służy jednemu celowi. Pozornie oderwane od siebie
wypowiedzi „autorytetów" i notabli, głównie z Polski,
Izraela i Stanów Zjednoczonych, ale nie tylko, publikacje
i książki, programy publicystyczne i gigantyczna praca
wiadomych ludzi, którzy trzęsą Hollywood – wszystko
to służyło „gotowaniu żaby", która nie dostrzegała, jak
zmienia się temperatura wody i tego, że kres jest bliski.
Patrzyłem na ten teatrzyk z perspektywy tysięcy prze-
analizowanych dokumentów i setek godzin przeprowa-
dzonych rozmów, w kraju i za granicą, i patrzyłem tak,
jak patrzy się na grę. Rzecz w tym, że stawką w tej grze
miała być nie taka czy inna wygrana, taki czy inny los
pojedynczego człowieka, wielu ludzi czy nawet los takiej
czy innej kadencji – ale los następnych pokoleń.
Wszystkie figury w tej grze – poważnej i potencjalnie
niebezpiecznej – właściwie miałem już rozpoznane, ale
do domknięcia koła potrzebowałem wykonać jeszcze jeden krok.
I właśnie teraz nadarzała się wyjątkowa okazja, by to
zrobić.

ROZDZIAŁ III
SĄSIEDZI

To miała być długa podróż.

Według nawigacji Google dobrze ponad czterysta kilometrów dzielące Lublin i Toruń via Warszawa, gdzie miałem wstąpić, powinienem pokonać w ponad sześć godzin. Sporo, ale nie martwiło mnie to wcale. A nie martwiło mnie – bo nigdzie się nie śpieszyłem. Musiałem wszystko przetrawić i przyswoić, a monotonny warkot silnika i miękki blask wskaźników na desce rozdzielczej mojej toyoty pomagał uporządkować myśli. Zdjąłem nogę z pedału gazu i auto z miejsca zwolniło. Zacząłem szeptać słowa modlitwy i poczułem, jak powraca spokój. Fascynujące, jak ludzki umysł momentalnie potrafi dokonać kilka skojarzeń. Są chwile, gdy wiesz, że zbliżasz się do mostu, za którym nie masz już powrotu. Tym mostem miała być rozmowa z profesor Małgorzatą Grupą, osobą, która o ekshumacji w Jedwabnem w 2001 wiedziała najwięcej. Tak naprawdę wiedziała o niej ni mniej, ni więcej – wszystko. Z jednego prostego powodu: bo przez cały ten czas, gdy w Jedwabnem trwała ekshumacja, była na miejscu jako szef polskiej grupy archeologów i decydent z polskiej strony odpowiedzialny za całość prac. Innymi słowy profesor Małgorzata Grupa była tą najbardziej z najbardziej odpowiednich osób, do których koniecznie powinniśmy dotrzeć, a która mogłaby opowiedzieć, jak było. Innymi słowy mogłaby przed nami odkryć, jak to wszystko wyglądało w pamiętne i w sumie smutne dni – gdy mieliśmy nadzieję na odkrycie prawdy i gdy na skutek działań rabina Michaela Schudricha oraz wielu ludzi cienia, zatrzaśnięto nam tę prawdę przed nosem. Mogłaby – bo wiedziała, sęk jednak w tym – że nie chciała.

Dlaczego? Bo każdy ma własne pudełeczko ze swoim własnym cierpieniem i tysiąc powodów, dla których pewne myśli, sekrety i wspomnienia pragnie zachować dla siebie. Tak już jest i trudno coś na to poradzić. Kropka. I nie wiadomo, jaki cała rzecz miałaby finał, gdyby nie pewien przypadek, nie przypadek. Okazało się, że Wojtek Sumliński przyjaźni się z przyjacielem jej przyjaciela, profesorem Wojciechem Polakiem z Uniwersytetu Mikołaja Kopernika w Toruniu, z którym połączyła go tajemnica śmierci Jerzego Popiełuszki – obaj byli apologetami wersji prokuratora Andrzeja Witkowskiego, zdaniem którego wszystko w sprawie tej najgłośniejszej i zarazem najbardziej tajemniczej zbrodni PRL-u, poza miejscem i czasem uprowadzenia błogosławionego męczennika, jest kłamstwem, a sama sprawa była spiskiem ludzi na wysokich stołkach, którego skutki odczuwamy do dziś...

Tak więc słowo do słowa, rozmowa do rozmowy – i profesor Małgorzata Grupa zgodziła się na spotkanie i rozmowę, na którą zgodzić się nie chciała.

I właśnie teraz jechałem na to niezwykłe spotkanie, by od osoby najbardziej kompetentnej z kompetentnych, a do tego uczestnika – i w jednej osobie świadka – tajemniczych wydarzeń, dowiedzieć się, jak było naprawdę...

Sześć godzin to bardzo dużo czasu.

W sześć godzin można przeczytać książkę, wykonać operację ratującą czyjeś życie, przelecieć przez Atlantyk albo po prostu wysłuchać, o czym się rozmawiało.

I właśnie na tej ostatniej czynności chciałem skupić teraz swoją uwagę.

Na moment zamyśliłem się i uśmiechnąłem się do swoich wspomnień.

Pamiętałem, jakie wrażenie zrobił na mnie oparty na faktach głośny film „Niewygodna prawda", o niezłomnej dziennikarce, która płaci wysoką cenę za odkrywanie prawdy zbyt prawdziwej, by ją odkrywać, a w którym młody dziennikarz śledczy prowadzi z mistrzem w tym fachu – niesamowita kreacja Roberta Redforda – taki oto krótki dialog:

– Czemu zajął się pan dziennikarstwem? – pyta młody

dziennikarz.

– Przez ciekawość. A pan?

– Przez pana.

Zastanawiałem się później wielokrotnie, dlaczego pomyślałem o tej właśnie scenie, gdy po raz pierwszy spotkałem niewysoką, szczupłą kobietę po sześćdziesiątce, która była uznanym specem w we wszystkich sprawach, które dotyczyły Żydów i relacji polsko-żydowskich.

Może dlatego, że wiedziałem, iż – poszukując prawdy w zakresie interesujących ją zagadnień – też zapłaciła wysoką cenę pomówień i że chodziły o niej słuchy – nawet nie plotki – oskarżające o to i owo. Znałem to dobrze, ten schemat, w którym, nie mając na człowieka nic, przypisuje mu się wszystko, w tym przypadku oczywiście wszystko, co złe. Bo w świecie, w którym żyła, podobnie jak w moim, obowiązywała zasada: jeżeli nie możesz podważyć wiarygodności faktów, które zebrał człowiek, zawsze możesz próbować podważyć wiarygodność człowieka, który je zebrał.

Na tym to w uproszczeniu polegało – i dlatego nawet jej nie znając, solidaryzowałem się z nią.

Tak naprawdę jednak zdecydowało chyba co innego: coś, co zapewne podsunęła mi podświadomość, co przywiodło mi na myśl postawę bohaterki filmu „Niewygodna prawda”, co sprowadzało się do ulubionego hasła mojego kolegi Wojtka Sumlińskiego: „nigdy się nie poddawaj”, ale z czego wówczas, gdy spotkałem ją po raz pierwszy, nie potrafiłem jasno i precyzyjnie określić, bo to przyszło dopiero później.

A teraz Ewa Kurek – bo to ona była bohaterką moich rozważań – miała być moją towarzyszką w trakcie tej sześciogodzinnej podróży, a właściwie nie tyle ona, co skondensowany zapis naszych rozmów, które prowadziliśmy od wielu miesięcy, a który dla mnie był właśnie niczym przejście przez most, zza którego nie ma już powrotu.

Podłączyłem pendrive'a do styku i założyłem słuchawki. Z głośniczków popłynął cichy dźwięk odległego szumu ulicy, na który nałożyły się głosy rozmówców: mój własny i doktor Ewy Kurek...

– Jak to się stało, że zostałaś antysemitką?
– Nie tyle zostałam, co tak mnie naznaczono, a to jednak pewna różnica.
– Dlaczego cię naznaczono?
– Za całokształt, ale przede wszystkim za Jedwabne. Zainicjowałam zbieranie podpisów pod apelem o wznowienie ekshumacji, no i napisałam petycję do Ministra Sprawiedliwości Zbigniewa Ziobry. Tyle. Dziś to wystarczy, by zostać antysemitą.
– Było warto?
– W wymiarze praktycznym efekt zerowy, ale nigdy nie należałam do ludzi, dla których liczy się tylko to, co praktyczne. Jako Polka i historyk chcę poznać całą prawdę

o zbrodni w Jedwabnem, a bez ekshumacji tej prawdy do końca poznać się nie da. Od kilkudziesięciu lat zajmuję się badaniami stosunków polsko-żydowskich i patrząc z tej perspektywy na to, co w tej chwili się dzieje, powiem krótko: jest to nie do przyjęcia. Nie tylko dla mnie, także dla wielu Żydów, których poznałam na przestrzeni lat, w Polsce, w Stanach Zjednoczonych, w Izraelu. Wielu z nich poświęciło mnóstwo wysiłku, czasu, pieniędzy, niektórzy ryzykowali wręcz wszystko, by te stosunki oparły się na prawdzie, niekiedy brutalnej, ale jednak prawdzie. Jako człowiek i historyk czuję się zobowiązana do mówienia, jak było naprawdę – interesują mnie fakty, nie ich interpretacja czy kanony, które dziś obowiązują, a jutro mogą się zmienić. Tylko tyle i aż tyle.

– A wracając do Jedwabnego...

– Blokowania przez polityków i wymiar sprawiedliwości RP polskich badań historycznych pod naciskiem światowych środowisk żydowskich jest faktem tak oczywistym jak to, że po nocy wstaje dzień. Oczywiście politycy temu przeczą, ale zawierzmy oczom i zdrowemu rozsądkowi. W świecie utrwalił się – ktoś zadbał, żeby się utrwalił – fałszywy obraz zbrodni w Jedwabnem, bo o ile bez dokończonej ekshumacji nie możemy ze stuprocentową dokładnością powiedzieć, jak było, to już teraz możemy na tysiąc procent powiedzieć, jak nie było – a na pewno nie było jak w książce Grossa „Sąsiedzi". Rzecz w tym, że to właśnie ten przekaz obowiązuje w świecie i zbiera straszliwe skutki – dużo gorsze niż większości Polaków się to wydaje. Ludzie nie wiedzą po prostu, co nam zrobiono. Upowszechniony na cały świat przekaz w języku angielskim, między innymi przez Żydowską Wirtualną Bibliotekę, to straszliwe oszczerstwo. Po wpisaniu nazwy polskiej miejscowości rozwija się hasło: „Jedwabne, małe miasteczko w północno-wschodniej Polsce, które przez dwa lata znajdowało się pod kontrolą Rosji, wpadło w ręce Niemiec 22 czerwca 1941 roku. Jednym z pierwszych wniosków skierowanych przez Polaków do ich nowych władców, nazistów, była prośba o pozwolenie wybicia Żydów. [...] Naziści usiłowali przekonać Polaków, aby oszczędzili choć po jednej rodzinie żydowskiej z każdego rzemiosła, ale Polacy odpowiedzieli: Mamy wystarczająco swoich własnych rzemieślników i musimy unicestwić wszystkich Żydów, żeby żaden nie został przy życiu. [...] Burmistrz Jedwabnego zgodził się na zapewnienie pomocy w masakrze, Polacy z okolicznych wiosek przybyli, aby oglądać i celebrować wydarzenie jako święto. Blisko połowa ludności z 1600 społeczności katolickiej brała udział w torturowaniu 1600 członków społeczności żydowskiej z Jedwabnego, zapędzając ich do stodoły, która następnie została podpalona". No horror po prostu – tyle że nie ma nic wspólnego z prawdą. Rozpowszechniane przez Żydowską Wirtualną Bibliotekę, światowe media oraz – to wręcz nieprawdopodobne – instytucje naukowe w Polsce kłamstwa o zbrodni w Jedwabnem nie są oparte na żadnych dowodach i trzeba nazywać to po imieniu: to bezpodstawne szkalowanie Polaków i Rzeczpospolitej Polski, co jest sprzeczne z zapisem Konstytucji RP z dnia 2 kwietnia 1997, która w artykule 1 stanowi, że „Rzeczpospolita Polska jest dobrem wspólnym wszystkich obywateli" – a więc i moim. Mam zatem prawo, a wręcz obowiązek, dbania o jej dobre imię. Bezpośrednim powodem apelu i petycji nie było jednak poczucie obowiązku – a przynajmniej nie tylko poczucie obowiązku – ale zrozumienie, że przerwanie ekshumacji było po prostu bezzasadne, a nawet bezprawne.

– Złamano prawo?

– Wyjaśniam, w czym rzecz. W Żydowskim Instytucie Historycznym w Warszawie jest dokumentacja potwierdzająca wykonanie ekshumacji w kilkudziesięciu przypadkach na terenie całego kraju. Najbardziej szczegółowo jest opisana ekshumacja trzystu czterech Żydów zamordowanych przez Niemców w Siedlcach, prowadzona pod nadzorem przedstawicieli Centralnego Komitetu Żydów Polskich 27 czerwca 1949, ale podobnych przypadków jest więcej: w Bochni, Bystrzycy, Czechowicach, Garwolinie, Górze Św. Anny, Grójcu, Izabelinie, Jordanowie, Józefowie, Karczewie, Krakowie, Lubaczowie , Lublinie, Łazach, Łowiczu, Łukowie, Okuniewie, Opolu, Parysowie, Pieszycach, Pionkach, Poznaniu, Przemyślu, Radomiu, Rzeszowie, Stutthofie, Świdrach Starych, Tarnowie, Toruniu, Tyszowcach, Warszawie i w Zakopanem. Wy-

starczy? Ekshumacje były prowadzane za pieniądze z Jo-
int-u amerykańskiej organizacji charytatywnej, innymi
słowy sfinansowali je amerykańscy Żydzi. Potem jeszcze
w latach osiemdziesiątych przeprowadzono ekshumacje
przez Gminę Żydowską w Krakowie – chcę to podkreślić
z całą mocą: ekshumacje szczątków żydowskich są zgodne z prawem halachicznym. Rabin Joseph Polak, były
więzień niemieckich obozów koncentracyjnych, przewodniczący Rady Halachicznej bostońskiego sądu rabinac-
kiego, stwierdził krótko: „ofiary z Jedwabnego powinny zostać ekshumowane i pochowane ponownie, czy to
na terenie pobliskiego cmentarza żydowskiego, czy to
w Państwie Izrael." Nie jest to jedynie halachiczna opcja,
lecz fundamentalny obowiązek. Podczas budowy lotniska
w Echterdingen w Niemczech odkryto zbiorową mogiłę
więźniów z pobliskiego obozu pracy. Władze niemieckie
zwróciły się do rabina Waltera Homolki, rektora Abraham Geiger Kolleg, wykładowcy prawa żydowskiego na
uniwersytecie w Poczdamie, o możliwość dokonania ekshumacji zwłok, aby zidentyfikować ofiary oraz uzupełnić
materiał dowodowy w celu osądzenia sprawców. Rabin
w jednym ze swoich responsów stwierdził, że w przypadku odnalezienia masowego grobu żydowskich więźniów
nasuwa się pytanie, czy w ogóle możemy mówić o grobie
w dosłownym tego słowa znaczeniu, bowiem według Talmudu żydowski grób jest miejscem, w którym Żyd został
pogrzebany zgodnie z rytuałem: leżąc na plecach w po-

zycji horyzontalnej, z zachowaniem należytego odstępu od innych grobów. Analiza Miszny pokazuje, że w przypadku, gdy zwłoki, na przykład w wyniku działalności kryminalnej, zostają zwyczajnie zakopane w ziemi, również nie mamy do czynienia z tradycyjnym grobem. Tak samo, gdy w jednym grobie, podobnie jak w poprzednim przypadku, spoczywają więcej niż trzy ciała, oznacza to, że nie chodzi o tradycyjny żydowski pochówek. Dlatego też ekshumacja oraz przeniesienie zwłok na cmentarz żydowski są dozwolone.

W ramach współpracy między policją niemiecką i izraelską podjęto wówczas decyzję o pobraniu próbek DNA ze szczątków ofiar oraz od prawdopodobnych krewnych w Izraelu. Załatwiono to w cywilizowany sposób. Można? Można.

Zabawmy się teraz w quiz: dlaczego ekshumacje można prowadzić wszędzie, tylko nie w tym jednym jedynym miejscu – w Jedwabnem? To nie jest pytanie podchwytliwe.

– Bo odnaleziono tajemniczą łuskę pod pomnikiem Lenina – twardy dowód, że zbrodni dokonali Niemcy i byłby to pierwszy kamień, który mógłby uruchomić lawinę?

– Dokładnie, ale były też inne powody. Zespół profesora Andrzeja Koli – archeolodzy pracujący pod kierunkiem Małgorzaty Grupy – określił liczbę zabitych Żydów na trzystu do maksymalnie czterystu. Prace archeologiczne wykazały, że stodoła w Jedwabnem miała dziewiętnaście metrów długości i ponad siedem szerokości, zaś znajdująca się tam mogiła wymiary siedem i pół na dwa i pół metra. Cała reszta to już tylko zimna matematyka. Gdyby liczba zamordowanych sięgała tysiąca sześciuset, sprawcy mordu musieliby upchnąć na jednym metrze kwadratowym dwanaście osób. To niemożliwe. Przyjęcie tej oczywistej prawdy i dalsza weryfikacja to początek końca całej tej misternie budowanej od dziesiątków lat teorii kłamstwa, w której „Sąsiedzi" odegrali kluczową rolę, ale nie chodzi tylko o książkę Grossa. Stworzono gigantyczny mechanizm fałszu i zaangażowano do tego szereg inicjatyw, utopiono mnóstwo pieniędzy, zrealizowano konferencje, odczyty, wydano wielonakładowe publikacje, nakręcono programy, filmy, między innymi absolutnie skandaliczny „Gdzie mój starszy syn Kain" Agnieszki Arnold czy nawet „Pokłosie" Pasikowskiego, sponsorowane przez firmy z Rosji, Słowacji i Holandii – wszystkie te i inne tego typu „dzieła" tak mają się do rzeczywistości, jak książka Grossa do historycznej rekonstrukcji wydarzeń z lipca 1941. Już nawet sam początek ekshumacji w Jedwabnem nie pozostawiał złudzeń, że Gross straszliwie nakłamał – ale potem ekshumację przerwano i nic już nie można było zrobić.

To niebywałe. Nie jest prawdą, że „wyczerpano możliwości badawcze". Jest natomiast prawdą, że złamano polskie prawo i podporządkowano je „prawu" wymyślonemu przez amerykańskiego rabina Michaela Schudricha. Dlaczego tak twierdzę? Śledztwo prowadzono w sprawie zbrodni zabójstwa obywateli polskich pochodzenia żydowskiego. Kodeks Postępowania Karnego RP w artykule 209 mówi jasno: „Jeśli zachodzi podejrzenie przestępczego spowodowania śmierci, przeprowadza się oględziny i otwarcie zwłok". W artykule 210 dodaje: „W celu dokonania oględzin lub otwarcia zwłok prokurator albo sąd może zarządzić wyjęcie zwłok z grobu". Śmierć Żydów 10 lipca 1941 w Jedwabnem została spowodowana w sposób przestępczy, tak więc z przepisów prawa wynika wprost, że jeśli można dokonać ekshumacji, by sprawdzić, jak zginęły ofiary i kto je zabił, to trzeba to zrobić i koniec. Strach przed prawdą okazał się jednak zbyt wielki – tak wielki, że rabini w panice opuścili Jedwabne i w sposób zakulisowy za pomocą argumentów, które pozostają tajemnicą, zakulisowo wymusili na polskich władzach wszystko, co tylko chcieli. Dla mnie to przerażające.

– Dla mnie przerażająca była wypowiedź niejakiego Jonny'ego Danielsa, że choćby pod petycją w sprawie ekshumacji w Jedwabnem podpisało się czterdzieści milionów Polaków, to ekshumacja i tak się nie odbędzie.

– Interesujące, prawda? Zupełnie jak jakiś namiestnik. Szokujące, że po takich wypowiedziach i generalnie po tym wszystkim, co wygaduje, w dalszym ciągu tolerowany jest na terytorium RP. Daniels przekracza wszelkie granice, bo czuje za sobą siłę i wykorzystuje słabość polskich polityków. Niekonwencjonalnie, że tak to ujmę, zachował się też Ronald Lauder, prezes Światowego Kongresu Żydów, który w 2016 zażądał od polskiego rządu, by zmusił do przeprosin burmistrza Jedwabnego Michała Chajewskiego. I za co? Za zezwolenie na zbieranie podpisów pod apelem o ekshumację w Jedwabnem. Gdzie my żyjemy i kim my dla nich jesteśmy?

Dwa pytania. Pierwsze: dlaczego nas tak traktują? Drugie: dlaczego nie reagujemy, twardo, zdecydowanie, naród z taką historią, jak nasza?! Odpowiedź nie jest skomplikowana: traktują nas tak, jak im na to pozwalamy. A że pozwalamy prawie na wszystko, to tak nas traktują. Czują, że my – że nasz rząd się ich boi. Niepotrzebnie. Z Żydami trzeba rozmawiać twardo, asertywnie. Tymczasem my tańczymy, jak nam zagrają. Stworzyli szereg instrumentów do odzierania polskiego społeczeństwo z poczucia dumy, do której mamy pełne prawo, bo w trakcie II wojny światowej zachowaliśmy się tak wspaniale, jak żaden inny naród. To, co robią, od wielu już lat nazywam „pedagogiką wstydu". Zagraniczne media chlastają nas nieustannie, a w Polsce palmę pierwszeństwa od lat dzierży tu Adam Michnik. Zaczęło się już w 1994 od artykułu Michała Cichego „Czarne karty powstania", w którym autor całkowicie zdyskredytował Powstańców Warszawskich, określając ich w ohydny wprost sposób bandytami mordującymi Żydów. To nie był jeszcze ten czas, by w ten sposób atakować bohaterów II wojny światowej, więc konsekwencją steku potwornych bredni były przeprosiny za obelżywe i kłamliwe insynuacje pod adresem Powstańców – ale już wtedy Michnik et consortes sondowali, na co mogą sobie pozwolić. W następnych latach, do około roku dwutysięcznego, zapanowała względna cisza, ale jak się okazało była to cisza przed burzą, bo potem pojawił się Gross i zaczęło się na dobre...

– Jak to się w ogóle stało, że zajęłaś się sprawą Jedwabnego i generalnie – sprawą relacji polsko-żydowskich? Słyszałem, że byłaś kiedyś filosemitką...

– Urodziłam się i wychowałam w Kielcach, które wielu kojarzą się z pogromem żydowskim w 1946 – to temat na oddzielną opowieść – ale mój świat był światem bez Żydów. Moi rodzice przyjechali do Kielc z Wołynia, gdzie mieszkali w polskiej osadzie Chrobrów koło Łucka. Ojciec był żołnierzem AK. W czerwcu 1943 roku Ukraińcy spalili polski Chrobrów i zamordowali moją babcię. W domu często mówiło się o wojnie. Ojciec był kolejarzem i świadkiem wywózki Polaków na Sybir w 1940. Od dziecka w pamięci utkwiło mi najbardziej opowiadanie rodziców o tej lutowej brance Polaków i polskich dzieci. Mróz, śnieg i Polacy ładowani do bydlęcych wagonów. Dlatego w 1981 postanowiłam napisać pracę doktorską o polskich dzieciach wywożonych na Sybir. Wkrótce wprowadzili stan wojenny. Wtedy mój prof. Jerzy Kłoczowski powiedział: – Nie wygłupiaj się. Nikt ci takiej pracy nie puści. Zajmij się opieką żeńskich zakonów nad dziećmi, to będziesz miała Sybir jako tajny aneks do oficjalnej pracy". Co było robić? Zajęłam się zakonami. Słowo do słowa, spotkanie do spotkania i tak trafiłam na siostrę Sawicką w Warszawie. Pamiętam, jakby to było wczoraj. Najpierw opowiedziała o sobie i swojej służbie, a potrafiła pięknie mówić, a zaraz potem o tym, jak przyszli Niemcy i o dzieciach żydowskich. No i mnie się tam przypomniała jedna historia...

To było w 1975, gdy na zaproszenie mojego brata Augustyna Kurka pojechałam do Nowego Jorku. Miejscowi Polonusi dowiedzieli się od brata, że jestem studentką KUL-u i zaproponowali napisanie dwóch artykułów dla polskiego „Nowego Dziennika" – pamiętam, że jeden był o prymasie Stefanie Wyszyńskim. Potraktowałam to jako zaszczyt i przygodę, ale musiałam poszerzyć wiedzę, więc poszłam do biblioteki na 42 ulicy Manhattanu. Znalazłam dział slawistyki, którego szefem był Ukrainiec. Porządny gość, świetnie mówił po polsku, uczynny, życzliwy, we wszystkim mi pomógł. Po zamówieniu materiałów wyszłam na korytarz na papierosa – bo podobnie jak ty, zawsze paliłam jak komin – w pewnym momencie podchodzi do mnie chłopak, na oko w moim wieku, i powiada po polsku:

– Cześć, podobno jesteś z Polski. Ja jestem Żydem – i patrzy na mnie jak krowa na pociąg. Chyba czekał na jakiś komentarz z mojej strony, ale że nie miałam żadnego, więc wypalił:

– Jestem Żydem, a wy, Polacy, razem z Hitlerem wymordowaliście wszystkich Żydów!

Zdębiałam i zatkało mnie. Nie rozumiałam, o co mu chodzi po prostu, ale już poruszył we mnie patriotyczną strunę, więc siląc się na spokój mówię mu jeszcze grzecznie:

– Wiesz co, przeczytaj sobie Bartoszewskiego „Ten jest z ojczyzny mojej”. Może coś zrozumiesz.

– Myślisz? – zapytał sarkastycznie.

– Cały czas – odparłam. – Spróbuj i ty.

No, jak on się wtedy wkurzył. Jak zaczął kurwami rzucać. Zwymyślał mnie od najgorszych, poruszył przodków i w ogóle zachował się jak ostatni cham.

Odeszłam.

Nazajutrz jednak wróciłam do biblioteki, mając nadzieję, że chama nie spotkam, ale niestety, już na mnie czekał. I jak tylko mnie zobaczył, z miejsca przystąpił do ataku. I ta sama śpiewka, co dzień wcześniej: że Polacy gorsi niż Niemcy, że same kurwy i takie tam.

Nie dał się zignorować. Miałam dość. Postanowiłam poprosić o pomoc tego miłego Ukraińca, który oprowadził mnie po bibliotece – i on mi pomógł. Pamiętam, że podszedł do tego Żyda i powiedział mu krótko, spokojnie, ale zdecydowanie: jeśli jeszcze raz zaczepisz tę panią, to gorzko tego pożałujesz.

Teraz to Żyda zatkało. I odpuścił. Takie to było spotkanie w Nowym Jorku: Polki, Żyda i Ukraińca. Paradoks ludzkich losów – mnie, filosemitce, którą chyba wtedy trochę byłam, i Polce z korzeniami na Wołyniu, okazał życzliwość Ukrainiec, który ochronił mnie przed szalonym Żydem.

Niedługo potem na konferencję do Stanów Zjednoczonych przyleciał profesor Jerzy Kłoczowski, któremu opowiedziałam całą tę historię. Wysłuchał i powiada: idź do Muzeum Żydów, zobacz to i owo, nie wszyscy są tacy. Nie bardzo miałam ochotę, bo to spotkanie trzeciego stopnia z Żydem wciąż we mnie siedziało, ale przemyślałam sprawę i zrobiłam, jak radził. Więc poszłam. W zasadzie poszłyśmy, bo towarzyszyła mi polska stewardessa. Przed wejściem była rozłożona księga pamiątkowa dla odwiedzających. Wielkimi literami, chyba na pięć centymetrów, napisałam: Ewa Kurek, Katolicki Uniwersytet Lubelski, a niech chamy Żydy wiedzą.

– Tak nie napisałaś!

– No, masz rację. Nie napisałam. Ale tak pomyślałam. No więc wchodzimy do pierwszej sali, jakieś wystawione eksponaty, coś oglądamy, o czymś gadamy, nagle wpada do sali jakaś kobieta i pyta po angielsku, czy ja mówię po polsku. Oczywiście – odpowiadam. – Całe życie.

A ona rzuca mi się na szyję: „Jestem z Warszawy, całą moją rodzinę uratowali Polacy. Są rzeczy, których się nie zapomina".

I tak przegadałyśmy cały boży dzień, a potem jeszcze noc. Wszystko się odbyło dokładnie tak, jak ci opowiedziałam, kropka w kropkę.

– Dwa spotkania – dwa spojrzenia.

– Dokładnie. I wtedy zrozumiałam, że w żadnej historii, także w historii stosunków polsko-żydowskich, nie ma sytuacji wyłącznie zerojedynkowych. Bo życie jest pełne niespodzianek i nikt z nas nie wie, co przyniesie los.

I tak mniej więcej w mojej pamięci wyglądała ta historia, kiedy spotkałam się z siostrą Sawicką w Warszawie i kiedy podjęłam decyzję, że zajmę się tematyką żydowską.

– Nie rozumiałem, dlaczego poleciłaś mi do przeczytania prace profesora Samuela Olinera – teraz wreszcie to zrozumiałem: żebym przyjął, że na problem relacji polsko-żydowskich nie można patrzeć zerojedynkowo...

– Chciałam, żebyś je przeczytał, bo prace Olinera są świadectwem dzielności – odwagi żydowskiego naukowca, który wbrew całemu środowisku amerykańskich Żydów potrafił bronić prawdy i godności Polaków. Opowiem ci o Olinerze to, czego może nie doczytałeś, a co będzie doskonałym wstępem do zrozumienia całokształtu stosunków polsko-żydowskich.

Oliner Samuel urodził się w Zyndranowej koło Dukli. Dorastał w gospodarstwie dziadków we wschodniej Polsce, w obecnym województwie podkarpackim, z rodzicami, bratem i siostrą. Jego ojciec miał ziemię i prowadził mały sklep. Gdy matka Samuela zmarła, ojciec ożenił się ponownie, a potem wyprowadził, pozostawiając Samuela z dziadkami ze strony matki. Chłopiec miał wtedy zaledwie siedem lat. Kiedy Niemcy zajęli Polskę, był dziewięcioletnim uczniem.

W lipcu 1942 Żydzi mieszkający na wsi zostali zmuszeni do opuszczenia domów i przeniesienia się do zamkniętych gett w większych miejscowościach. Samuel i jego rodzina znaleźli się w Bobowej, miasteczku w osiemdziesięciu procentach zamieszkałym przez Żydów. Getto było przepełnione, wypełnione robactwem przenoszącym choroby, warunki sanitarne były fatalne, brakowało lekarstw, panował głód. Potem do getta wkroczyli Niemcy i zabierali młodych mężczyzn, dziewczęta i wykwalifikowanych robotników. Samuel wymykał się do świata na zewnątrz, by zdobyć jedzenie dla głodującej rodziny – wielu ludzi wtedy umierało, głównie z głodu i chorób. 14 sierpnia 1942 Niemcy zaatakowali niedobitków z mieszkańców getta i wymordowali w pobliskim lesie – prawie wszystkich. Samuel ocalał. Popchnięty przez macochę uciekł na wieś. Po dwóch dniach znalazł schronienie u przyjaznej chłopki, która zajęła się nim jak synem. Była dobra i bardzo odważna. Zaryzykowała wszystkim, życiem swoim i swoich bliskich, wszystkim się zajęła, wszystkiego nauczyła, dała nową tożsamość i nowe życie. Gdy Samuel nauczył się po polsku czytać i recytować katechizm, zrozumiał, że powinien opuścić dom, by nie być ciężarem dla tych dobrych, ale biednych ludzi, którzy dzielili się z nim ostatnią kromką chleba. Uznał, że przyszedł czas, by zadbać o siebie samemu, choć przecież miał zaledwie trzynaście lat. Znalazł pracę w wiosce, w której nie był znany nikomu. Potem zatrudnił się u łemkowskiej rodziny zajmującej się hodowlą bydła. Tu dotrwał do końca wojny.

W marcu 1945 Armia Czerwona wyparła Niemców z regionu. Początkowo już piętnastoletni Samuel bał się ujawnić prawdziwą tożsamość. Gdy jednak inni Żydzi wyszli z ukrycia, opuścił gospodarstwo i dołączył do nich. Miał nadzieję znaleźć swoją rodzinę, ale szybko dowiedział się, że jest jedynym, który przeżył. Trafił do sierocińca, a potem, przez niezwykły splot dziejów, do Ameryki.

Był żołnierzem i walczył w Korei. Potem skończył studia i został kimś – dziekanem socjologii na Uniwersytecie w Arcata, bajeczne miejsce na północ od San Francisco. Żyje tam zresztą do dziś, jest emerytowanym profesorem socjologii na Humboldt State University i założycielem, dyrektorem Instytutu Altruistic Personality and Prosocial Behavior. Wiele jego publikacji dotyczy Holokaustu, altruizmu i zachowań prospołecznych oraz stosunków rasowych i etnicznych. Występował w programach, telewizyjnych i radiowych, wykładał w wielu miastach Stanów Zjednoczonych, ale także w innych krajach, opowiadał o ludziach ratujących Żydów w okupowanej przez Niemców Europie. Oliner badał ten trudny czas również jako socjolog – jego żona była psychologiem, więc badania nad społeczeństwem i altruizmem prowadzili wspólnie.

Już jako profesor przyjmował zaproszenia na wykłady z całych Stanów Zjednoczonych, dużo jeździł po synagogach. I wszędzie, gdzie był, głosił o altruizmie, o II wojnie światowej, o Holokauście – i o bohaterskiej postawie Polaków ratujących Żydom życie!

Opowiadał mi, że schemat spotkań zawsze był taki sam, jakby ktoś zapisał to w scenariuszu: w pewnym momencie, właściwie zawsze, gdy zaczynał mówić o bohaterskich Polakach, dobrych ludziach, wstawał ktoś – czasami wielu ludzi – i oburzonym głosem przerywał: „głupoty pan opowiada. Jestem Żydem, jestem z Polski i wiem na pewno, że Polacy to antysemici i że są odpowiedzialni za Holokaust".

„Odpowiadałem im zawsze to samo", opowiadał mi, wyraźnie wzruszony nawet po tylu latach: „Ja też jestem Żydem i amerykańskim profesorem i zapewniam, że nie byłoby mnie tutaj, gdyby nie dzielni Polacy, dobrzy ludzie, dzięki którym przeżyłem wojnę. Bo gdy miałem dziesięć lat i zostałem sam, uratowali mnie polscy chłopi, którzy wiedzieli, kim jestem i że za udzieloną mi pomoc mogą zginąć. I nie sami, ale z rodzinami. A mimo to zrobili, co zrobili. Kogo z was stać byłoby na coś takiego? I zamykałem im gęby, po prostu".

On uważał to za swoją powinność – coś, co ma robić do końca życia, ni mniej, ni więcej – zawsze.

– To niezwykła historia.

– I do tego prawdziwa... Ale, niestety, nie ma takich wiele. Kiedyś zastanawiałam się – dlaczego? Skąd taka niewdzięczność tak wielu Żydów? Zajęło mi to dużo czasu, ale na koniec zrozumiałam.

– Opowiesz mi o tym?

– To długa historia.

– Mamy czas.

– Jeśli tak, to trzeba opowiedzieć ją od samego początku i już na samym wstępie zaznaczyć, że mieszkający w Polsce Żydzi nigdy, przenigdy nie identyfikowali się z Polską. Mieszkali tu, to było miejsce ich pobytu, ale kompletnie nie interesowały ich polskie kultura, historia czy nawet język, do nauki podchodzili bardzo niechętnie, co wynikało z tradycji historycznej. Wyjaśnił to profesor Chone Szmeruk: „Jeśli już mówiący w jidysz Żydzi znali język sąsiadów, czyli Niemców – jidysz to język powstały na kanwie starogermańskiego dialektu i języka polskiego – to jednocześnie nie znali i nie chcieli znać alfabetu łacińskiego, bo kojarzył im się po prostu z chrześcijaństwem".

Żydzi polscy, choć od wieków tu mieszkali, nie myśleli o Polsce jak człowiek myśli o ojczyźnie, za wolność której, jeśli trzeba, warto oddać życie. Mieli mocno wpajaną przez religię świadomość przynależności do narodu wybranego i mieli własną historię – i własną ojczyznę: mityczny Izrael. Dla nich Polska oznaczała tylko Polin – miejsce tymczasowe. Nic trwałego. Ale żeby naprawdę to wyjaśnić, musimy cofnąć się jeszcze głębiej i na poważnie zanurzyć się w przeszłość. Wtedy dopiero można zrozumieć, dlaczego w 1939 bramami z kwiatów witali Sowietów i przez długi czas mieli całkiem sporo sympatii do Niemców – rzecz, która wydaje się dziś nieprawdopodobna, a jest po prostu prawdziwa i której ślady można znaleźć w żydowskich pamiętnikach i kronikach. To dlatego tak wielu z nich nie chce, a nawet nie pozwala tłumaczyć z żydowskiego – dojdziemy do tego. Teraz zanurzmy się jednak w przeszłość i cofnijmy do głębokiego średniowiecza, początków osadnictwa żydowskiego na terenie dzisiejszej Polski. Zacznijmy od tego, że polskie żydostwo jako zjawisko socjologiczno-historyczne stanowiło ewenement w skali świata. Osiedlając się w Polsce, Żydzi mieli zachowaną tradycję historyczną i zbiorową pamięć o własnym państwie oraz żydowskich władcach, mieli własne religię, język i pismo, mieli tradycję i kulturę – to, czego nie mieli, to ochota na asymilację z Polakami. Przyjeżdżali tu, by żyć – ale nie współżyć, w sensie społecznym, z miejscowymi. Światy polski i żydowski, mimo terytorialnego współistnienia, to były światy równoległe. I tak rodziły się getta – nie były to jednak miejsca, jak błędnie sądzi dziś wielu, w których Żydów zamykano, a enklawy, w których to Żydzi sami odgradzali się od gojów. Samo pojęcie ma pochodzenie włoskie, weneckie właściwie, jest z XVI wieku i oznacza wyspę Ghetto Nuovo, czyli Nowa Huta, gdzie na mocy dekretu Senatu Wenecji mieli zamieszkiwać weneccy Żydzi. Ten izolacjonizm nie wynikał jednak z prześladowań, a z tradycji i religii, no i z ochrony po części też, bo Żydzi mało gdzie byli lubiani. Separatyzm nie był jednak narzucany przez żadną polityczną władzę – to był suwerenny wybór Żydów, którzy po prostu żyli tu, gdzie goje, ale nie chcieli żyć z nimi, tylko obok. Razem Żydzi czuli się raźniej, no i w zwartych skupiskach rabini – bo to oni decydowali o większości spraw w gminie – mogli skutecznie dbać o tę narodowo-kulturowo- religijną odrębność Żydów rozproszonych po całej Europie. Uważali, że nie powinni wchodzić w kontakt z żadną inną religią. Dla większości Żydów życie poza gminą było wprost niewyobrażalne. Wyznawanie judaizmu było tożsame z narodowością, nie było wtedy Żydów obojętnych religijnie. Separatyzm z wyboru był zatem podstawą narodowości żydowskiej, kultury i religii, a przy okazji sposobem obrony, jak pisał Fernand Braudel, znany francuski historyk średniowiecza, getto to cytadela, za którą Żydzi zamknęli się sami, aby bronić swych wierzeń i ciągłości Talmudu.

W I Rzeczypospolitej było społeczeństwo stanowe, a Żydzi stanem nie byli, choć de facto, jako stan byli traktowani. Zajmowali się handlem, płacili podatki, mieli własne sądownictwo, własną religię, tradycje i język. Od 1580 istniał w Polsce żydowski Sejm Czterech Ziem, na którego obrady swoich delegatów przysyłały poszczególne ziemstwa. Jednym słowem – Żydzi żyli odrębnym życiem. Polacy nie wnikali, czym dla Żydów jest Polska, choć – jak pokazał czas – zakładali, że skoro Żydzi na tej ziemi żyją, to gotowi będą tej ziemi bronić – ale to była ślepa uliczka. Bo polscy Żydzi zbudowali swoiste państwo w państwie, a jedynym administracyjnym łącznikiem pomiędzy nimi i Polakami był Judeanus, Żyd rezydujący na dworze królewskim.

Rozbiory sprawiły, że powstały i utrwalony przed wiekami układ społeczno-polityczny nagle runął. Stało się. W historii państw, jak w życiu człowieka, kończy się jakiś etap i wtedy pojawia się pytanie: co teraz?
Odpowiedź przyszła szybko.
To, co dla Polaków było niebywałą tragedią, jedną z największych w całej tysiącletniej historii, Żydów absolutnie, ale to absolutnie nie obeszło. Nie miało to dla nich najmniejszego znaczenia, po prostu. Uznali, że zmienia się władca, w porządku, ważne, żeby ich życie się nie zmieniło i żeby reprezentujący ich na dworze królewskim przedstawiciel w dalszym ciągu urzędował na dworze królewskim. To nic, że już nie u polskiego króla, a u rosyjskiego cara, cesarza austriackiego czy króla Prus. Przypominało to ucieczkę z tonącego okrętu, z tą różnicą, że tu nie musieli nawet uciekać, bo okręt płynął dalej, a że pod inną banderą – jakie to ma znaczenie, prawda? Zachowały się ciekawe zapisy – właściwie relacje prasowe, a więc w miarę obiektywne – wydarzeń,

które miały miejsce nie po ostatnim rozbiorze Polski, a po pierwszym – ale w tym przypadku najbardziej istotny i ciekawy jest sam przekaz. Żydzi z Brodów, które w 1772 zostały zajęte przez Austriaków, tak oto przyjęli zmianę władzy:

„Wojska austriackie pod generałem Hadikem ruszyły na Lwów i wkrótce objął hrabia Pergen rządy w nowo zajętej prowincji. Wszędzie zażądano przysięgi homagialnej dla „najjaśniejszej cesarzowej", a we Lwowie odbyła się ta uroczystość w katedrze. Żydzi lwowscy złożyli homagium na placu przed katedrą. Homagium Żydów brodzkich było o wiele uroczyściejsze, gdyż odbyło się w bożnicy; snadź byli Żydzi brodzcy już wówczas bliżsi europejskiej kulturze. Muzyka, dobrze skompletowana, powitała gości, a gdy się wszystko uciszyło, wygłosił syndyk żydowski, dr medycyny, Abraham Usiel, dziękczynną mowę, skierowaną do reprezentantów rządu, poczem starszy kantor z całym chórem instrumentalnym i wokalnym odmówił modlitwę, której końcowe słowo „Amen" powtarzało zgromadzenie z wielkim krzykiem i piskiem. Następnie raczono wszystkich wyborowem winem, tureckimi owocami i cukrami, a najznakomitsi Żydzi pili zdrowie cesarzowej z wielkim uszanowaniem. Ulicznemu tłumowi rzucano garściami pieniądze, a ubogim rozdawano jałmużny. O 9-tej wieczór odeszli zaproszeni goście do swych domów, wielce zadowoleni, miejscowi zaś, odśpiewawszy z towarzyszeniem orkiestry psalm 72, bawili się jeszcze do godziny 11-tej. Syndyk żydowski (Judenpromotor) Samuel Rabinowicz sprawił nadto w swoim domu świetną ucztę z muzyką, bawiono się również i po innych domach do późnej nocy, wznosząc wszędzie radosne okrzyki na cześć cesarzowej i nowego rządu". To notatka z wiedeńskiej gazety, zapis tego, jak polscy Żydzi witali austriackiego zaborcę. Później robili takie rzeczy wiele razy, w zasadzie ni mniej, ni więcej – zawsze.

– Ostatni raz w 1939...

- Tak, ostatni raz w 1939... Próbuję pokazać, skąd to się wzięło i jak naprawdę wyglądało. Polacy w rozpaczy – Żydzi w euforii, kompletny rozbrat. Bo tu nigdy nie było żadnej wspólnoty, którą się nam na siłę wmawiało i wciąż wmawia. To piękne, ta wspólnota narodów polskiego i żydowskiego, tyle że kompletnie nieprawdziwe. Oto sedno sprawy. Kto tego nie zrozumie, nie pojmie, dlaczego Żydzi tak a nie inaczej zachowali się podczas kolejnych powstań, w czasie wojny polsko-bolszewickiej w 1920, we wrześniu 1939, a potem w latach czterdziestych, gdy tysiącami mordowali polskich bohaterów – bo tu żadnej wspólnoty nigdy nie było, a jedynie dwie całkowicie obce sobie, a nawet niechętne, nacje, na jednej ziemi. Kropka. Dla Żydów Korona i Litwa były tylko tymczasowym miejscem zamieszkania. Nasze wołanie o wspólną walkę – kiedykolwiek i o jakąkolwiek walkę – trafiało w próżnię, ale my tego nie rozumieliśmy. Wytłumaczę, jak to działało. Najistotniejszym momentem żydowskiego święta Pesach – najważniejszego święta żydowskiego, obchodzonego na pamiątkę wyjścia Żydów z Egiptu – jest seder, uroczysta kolacja odbywająca się w wigilię święta. Kolacja rozpoczyna się modlitwą i błogosławieństwem głowy rodziny nad winem i wszyscy siedzący przy stole wypowiadają słowo „amen". Następnie wszyscy podnoszą naczynie z macą i wypowiadają następujący ustęp z Hagady: „Otóż to jest ów chleb nędzny, jaki spożywali przodkowie nasi na ziemi egipskiej. Kto głodny niech przyjdzie z nami jeść, każdy kto pragnie niech z nami Pesach odprawi. Obecnie jesteśmy tu, na rok przyszły na ziemi izraelskiej. Obecnie jesteśmy niewolnikami, na rok przyszły będziemy wyzwoleni". Rozumiesz teraz? Żydzi nawet w modlitwach marzyli o powrocie, dla nich to cel nadrzędny – zachowanie życia i tożsamości narodowej, przetrwanie w obcych krajach i powrót do ojczyzny, mitycznego Izraela.

A Rzeczpospolita? To tylko Polin. Miejsce spoczynku – nie docelowe.

Walka o niepodległość Rzeczpospolitej była dla nich kompletnie obcą sprawą...

Tak więc Żydzi pod zaborami spadli na cztery łapy.

Dla Polaków nastał czas tragicznej, studwudziestotrzyletniej niewoli. Pamiętny i doniosły, a zarazem jakże tragiczny czas – wielu było w szoku, ale wszyscy byli bezradni. Pod zaborami Polacy i Żydzi wrócili do swoich odrębnych światów, do odrębnych losów.

– Sama mówiłaś, że nie ma rzeczywistości zerojedynkowej. Byli przecież także inni Żydzi.

– Wiem, o czym mówisz. Przykład Berka Joselewicza, który walczył w insurekcji kościuszkowskiej w stopniu pułkownika, a po upadku powstania dowodzonego przez Tadeusza Kościuszkę zaciągnął się do Legionów, to wyjątek od reguły. Jeden z nielicznych. Joselewicz na polecenie Kościuszki zorganizował Pułk Lekkokonny Starozakonny, w którym w miarę możliwości przestrzegano zwyczajów żydowskich. Pułk żydowski walczył w ostatniej bitwie insurekcji – obronie Pragi – podczas której Joselewicz dostał się do niewoli rosyjskiej. Żydowski pułkownik walczył potem w Legionach Dąbrowskiego, u boku Napoleona Bonapartego. Zginął w bitwie pod Kockiem w 1809. Joselewicz to przykład chwalebny, ale niewielu było takich Żydów, którzy walczyli o odzyskanie przez Polskę niezależności. Musisz wiedzieć, że obierając drogę służby w wojsku polskim, Joselewicz poświęcił wszystko, bo służbę wojskową w armii polskiej utożsamiano z odejściem od żydostwa, oznaczała wręcz formalne wykluczenie z żydowskiej wspólnoty. Był jeszcze kilkusetosobowy oddział milicji żydowskiej, który walczył w obronie Pragi, ale na tym koniec.

Apele Kościuszki i Joselewicza, formułowane w odrębnych uniwersałach, nie odniosły większego oddźwięku, bo – jak mówiłam – Żydzi nie identyfikowali się z Rzeczpospolitą jako ojczyzną. Tak było, choć mieszkali tu od stuleci.

W kolejnych dziesięcioleciach, podczas kolejnych zrywów powstańczych, powstania listopadowego, wydarzeń z 1846, powstania styczniowego, Polacy potrzebowali w swoich dążeniach solidarności Żydów, właśnie na bazie wspólnego zamieszkiwania na tej samej ziemi, ale nigdy się jej nie doczekali. Przez setki lat Żydzi korzystali z ochrony swojej egzystencji przez I Rzeczpospolitą i to w dużo większym zakresie niż gdziekolwiek indziej, mieli prawa i przywileje, Polacy i Litwini mieli podstawy, by oczekiwać od nich uczestnictwa w walce o niepodległość wspólnego państwa. Wyglądało to jednak tak, jakby w nocy wychodzili szukać słońca. Nie rozumieli, że tego, czego szukali – u Żydów znaleźć nie mogli. A było jeszcze gorzej.

Przykład Zelmana Sznejora, pierwszego rabina Litwy, który współpracował z carem Aleksandrem i stworzył szpiegowską siatkę śledzącą ruchy wojsk francuskich, czy postawa lwowskich Żydów, którzy po upadku Napoleona w kwietniu 1814 wznieśli z tej okazji bramę triumfalną i świętowali do białego rana, są więcej niż wymowne.

– Mówimy o XIX wieku, a mnie przypominają się słowa Marka Edelmana, do którego w 1976 zwrócili się sygnatariusze „Listu 101", protestu do władz PRL-u przeciwko zmianie Konstytucji. Do Edelmana przyjechała Teresa Bogucka, a on pyta, czemu właśnie do niego, skoro to nie dotyczy spraw żydowskich. Wspominając to wydarzenie napisał: „w ten sposób pod postacią przemarzniętej Teresy Boguckiej przyszła do mnie Polska". Facet urodzony w Polsce, całe życie mieszka w Polsce i okazuje się, że nigdy nie spotkał tej Polski?

– Bo nie chciał spotkać, nie obchodziła go, po prostu. I trzeba sobie uświadomić jedno: to, co się działo od rozbiorów, a co przez Polaków powszechnie utożsamiano ze zdradą, nie zostało zapomniane i w późniejszych latach stało się jedną z podwalin wielkiej niechęci, a niekiedy – antysemityzmu. Tu mała dygresja w nawiązaniu do twojej dygresji – przypominam sobie, co na konferencji OBWE w 2004 powiedział wiceprzewodniczący Centralnej Rady Żydów w Niemczech Samuel Korn: „Obawiam się, że w wyniku rozszerzenia UE »klasyczny antysemityzm« wschodnioeuropejski zmiesza się z »subtelnym antysemityzmem« w Niemczech i innych krajach zachodnich". Dzisiaj, słysząc o płonących synagogach w Niemczech i generalnie w całej Europie Zachodniej, myślę sobie, że Samuel Korn powinien się dobrze zastanowić, bo pamięć społeczeństwa trwa tylko jedno pokolenie. Ta miłość Żydów do Niemców, nawet po Holokauście, była i wciąż jest dla mnie nieustającą zagadką. Słuchałam tego, co mówił wiceszef Centralnej Rady Żydów w Niemczech, i już wtedy myślałam tak: Żydzi europejscy zostali wymordowani w komorach gazowych skonstruowanych przez subtelnych antysemitów niemieckich, a tysiące „klasycznych antysemitów" wschodnioeuropejskich poświęcało życie, by uratować kilkaset tysięcy Żydów.

Jaka więc była prawda o tym polskim antysemityzmie? Odpowiedzi na to pytanie udzielił mi Jan Dobraczyński, pisarz, który ocalił przed śmiercią tysiące Żydów, a trzeba pamiętać, że przed wojną był przecież członkiem Stronnictwa Narodowego – ugrupowania uważanego przez wielu za wprost antysemickie. Jego życie nie raz zakręciło i dokonywał różnych wyborów, od Armii Krajowej poprzez Żegotę aż po komunistyczny PRON, ale jest przecież niepodważalnym faktem, że uratował od zagłady więcej żydowskich dzieci niż Irena Sendlerowa. Miał nie mniej niż ona odwagi i serca, ale większe możliwości organizacyjne, po prostu. Żydzi słusznie pamiętają o Sendlerowej – o Dobraczyńskim jednak milczą, bo nieważne, że uratował tysiące żydowskich dzieci, ważne, że był endekiem, prawda? To w ich oczach przekreśla go na wieki wieków, amen.

No więc spotkałam się z Dobraczyńskim w 1984 w Warszawie, gdy pisałam pracę doktorską o żydowskich dzieciach ocalonych przez polskich zakonników i zakonnice. I pytam, jak to możliwe, że on, członek endecji, ratował Żydom życie, z narażeniem własnego życia. Popatrzył na mnie tak, jakbym pytała, dlaczego woda jest mokra, i udzielił mi niezwykle interesującej odpowiedzi.

„Proszę pani – powiada – nasz antysemityzm czy jakby-

śmy tego nie nazwali, miał podłoże ekonomiczne. Dwanaście procent ludności Polski, Żydzi, opanowało całkowicie całe obszary gospodarki, w tym handel, który bez
reszty znalazł się w rękach żydowskich kupców. Podobnie drobne rzemiosło, bankowość, przemysł. Były »wasze ulice, nasze kamienice« i to wszystko razem wzięte
wywoływało konflikty społeczne, protesty czy bojkot.
Ale jednak polski antysemityzm nigdy nie miał podło-
ża religijnego, jak na Zachodzie. A już ten „subtelny"
antysemityzm niemiecki był najgorszy ze wszystkich, bo
miał podłoże wprost rasowe i był nastawiony na fizycz-
ną eliminację Żydów. W Polsce, na masową skalę, życia
Żydom nie chciał odbierać nikt – w Niemczech chcieli
tego prawie wszyscy. A jeśli chodzi o te żydowskie dzieci
– cóż, były przez Niemców skazane na śmierć, a w takiej
sytuacji obowiązkiem każdego człowieka, szczególnie
każdego katolika, było zrobienie absolutnie wszystkiego,
by je ocalić. I dokładnie to starałem się robić. Tylko tyle.
– Historia Dobraczyńskiego jest rzeczywiście niesamowita – antysemita ryzykujący życie swoje i najbliższych,
by uratować tysiące żydowskich dzieci, a jednak przez
Żydów przekreślony, bo „antysemita". Bo ważniejsze
słowa niż czyny, którymi po tysiąckroć udowodnił, jaki to
z niego naprawdę „antysemita". Kiedyś nie rozumiałem,
jak bardzo Żydzi potrafią być nie w porządku w swoich
ocenach. Dzisiaj chyba to już rozumiem, bo patrzę na tę
sprawę na zasadzie: „to historia jednego człowieka – hi-

storia wielu ludzi", a w tym przypadku historia całego narodu – mojego narodu – tak nieuczciwie przez Żydów ocenianego. W odniesieniu do „antysemity" Dobraczyńskiego i w ogóle do polskiego antysemityzmu zastanawiam się, jak Żydzi oceniliby Chaima Rumkowskiego, przywódcę Judenratu, nazywanego księciem łódzkiego getta, gdyby był Polakiem? Hollywood nakręciłby pewnie z pięć filmów w gwiazdorskiej obsadzie, każdy koniecznie z Oskarem, bo byłby to piękny dowód na polski antysemityzm, a nawet nazizm.

No ale Chaim Rumkowski nie był Polakiem, tylko Żydem... O Chaimie Rumkowskim nikt nie zrobi żadnego filmu.

– Ciekawy punkt widzenia, a Chaim Rumkowski rzeczywiście sprzedał się Niemcom bez reszty. I nie on jeden. Rumkowski do pierwszych transportów śmierci wyznaczał dzieci poniżej 10 roku życia, chorych, ludzi starych, jednym słowem najsłabszych. Wyznawał zasadę, że getto jest dla Niemców użyteczne, dopóki dla nich pracuje. Powiedzmy to jasno – podobnie myślało i robiło wielu innych Żydów, na przykład Szama Grajer, lubelski współpracownik Gestapo, który spośród zgromadzonych na Majdanie Tatarskim w pierwszej kolejności wybrał na śmierć blisko tysiąc kobiet i dzieci. Część z nich przesiedlono do getta tranzytowego w Piaskach i została uratowana przez niemieckiego przemysłowca, pozostali zginęli, najprawdopodobniej w obozie zagłady w Sobiborze. Marek Edelman powiedział kiedyś, że ludzie zachowują się jak stado lwów, które ponoć w zagrożeniu poświęcają najsłabsze jednostki. Edelman myślał o Żydach, bo w wyrosłej na tradycji chrześcijańskiej cywilizacji europejskiej jest dokładnie odwrotnie: istoty słabe – dzieci i starców – „stado" chroni i ukrywa w środku dla zapewnienie bezpieczeństwa. Przywódcy „stada" i silne „sztuki" za swój honorowy obowiązek uznają walkę o bezpieczeństwo słabszych i w imię tego obowiązku giną jako pierwsi. Dla nas, wychowanych w tradycji chrześcijańskiej, dzieci są najważniejsze i dla nich gotowi jesteśmy zaryzykować wszystko, oddać życie. Tymczasem Żydzi w czasie Holokaustu świadomie przeznaczyli najsłabszą część swojego społeczeństwa na śmierć bez żadnej próby ratunku, bo myśl, by za najsłabszych oddawać życie, była obca żydowskiej tradycji religijnej i historycznej. I to jest ta jedna z bardzo wielu fundamentalnych różnic pomiędzy Polakami, czy w ogóle przedstawicielami kultury chrześcijańskiej, a Żydami, którzy uważają, że mogą poświęcić dziecko, matkę, brata – wszystkich, byle tylko samemu przeżyć. To jest dokładna odwrotność chrześcijaństwa, gdzie ideałem jest poświęcenie życia nie tylko za najbliższych, ale nawet za ludzi obcych. To dwa różne światy i kto tego nie zrozumie, nigdy nie pojmie, dlaczego Żydzi robią to, co robią i dlaczego, mimo setek lat mieszkania na tej samej ziemi, nigdy nie żyli z nami, a zawsze obok nas. Bo nigdy, przenigdy nie było tu żadnej wspólnoty, tak jak nigdy nie było kultury judeochrześcijańskiej – to sprzeczność sama w sobie, oksymoron. Dlatego tak bardzo wkurzyłam się na polskich polityków, którzy opowiadają brednie o Polin czy jakiejś wydumanej kulturze judeochrześcijańskiej i napisałam taki „wściekły" artykuł w formie listu do prezydenta Andrzeja Dudy – jako protest przeciwko niezrozumieniu pewnych pojęć i używaniu ich w polityce. Uznałam, że nasi rządzący to najwyraźniej ludzie niedoinformowani, a że informacja jest ważnym składnikiem naszego życia, postanowiłam ich doinformować. Przeczytam ci obszerniejsze fragmenty, będzie to dobrą ilustracją do tego, o czym mówimy. Żałowałam potem trochę tonu listu, ale sądzę, że zostanie mi to wybaczone przez opinię publiczną i czytelników. Nie uwierzysz, jak ostro to wybrzmiało.

– Zobaczymy.

– Ok, czytam:

„Mija sto lat od momentu, gdy nasi dziadowie odzyskali dla nas niepodległość.

W roku stulecia niepodległości wszyscy politycy PiS, z Panem Prezydentem Polski na czele, mają pełne usta wzniosłych słów o Ojczyźnie. Jednocześnie coraz częściej bredzą i publicznie nazywają naszą Najjaśniejszą Rzeczpospolitą nie Polską, lecz jakimś enigmatycznym wspólnym z Żydami państwem Polin. W bełkocie o wspólnym z Żydami państwie Polin bryluje Pan Prezydent Andrzej Duda, który coraz częściej używa określenia Polin zamiennie z Polską. Ostatnio z okazji rocznicy otwarcia ambasady Izraela w Polsce napisał na przykład, że z „Rzeczypospolitej, kraju Polin, pochodziło wielu pierwszych obywateli Państwa Izrael".

Szanowny Panie Prezydencie, przypominam fakt, że Izraela nie zbudowali jacyś polińscy Żydzi, lecz Izrael zbudowali Żydzi polscy. Polscy Żydzi nigdy nie nazywali siebie Polinami, lecz zgodnie z prawdą, polskimi Żydami. Proszę także nas, Polaków, nie nazywać Polinami – my jesteśmy Polakami i mieszkamy w Polsce. Pańską niewiedzę można oczywiście zrzucić na doradców, którzy pewnie piszą panu listy i przemówienia, którzy powinni kontrolować to, co mówi i pisze prezydent. Ale nie do końca. Prezydent Rzeczypospolitej Polski powinien wiedzieć, czy jest prezydentem Polski, państwa Polaków, czy prezydentem jakiegoś enigmatycznego wspólnego z Żydami państwa Polin. Przypomnijmy zatem Panu Prezydentowi Andrzejowi Dudzie, czym jest i skąd się wzięło pojęcie Polin. Tradycja nazywania Polski terminem Polin (hebr. וילופ‎, wymawiane w języku jidysz jako pojln), przypisywana jest krakowskiemu rabinowi Mojżeszowi Isserlesowi, którego król Zygmunt Stary w roku 1547 mianował rabinem gmin żydowskich województwa krakowskiego. Polin w języku żydowskim oznacza TU SPOCZNIJ. W roku 1492 wygnani z Hiszpanii, Portugalii i Niemiec Żydzi dotarli do Polski. Legenda głosi, że gdy uchodźcy dotarli do ziem polskich, nazwę kraju odczytali jako Po lin (tu spocznij), biorąc to za dobry omen.

Według tej legendy z nieba został zesłany znak – kartka z napisem Po lin. W wyniku tego Żydzi osiedlali się masowo na gościnnej polskiej ziemi. Rabi Mojżesz Isserles pisał w XVI wieku o Polsce: „W tym kraju nie ma zawziętej nienawiści do nas, jak w Niemczech. Oby zostało tak nadal, aż do nadejścia Mesjasza".

Przez wieki Polska była wygodnym do życia krajem dla Żydów. Z czasem słowu Polin – tu spocznij – Żydzi przydali nie tylko miano miejsca spoczynku, ale także program na życie, które w sposób bardzo prosty wyraził warszawski Żyd, ostatni rytualny rzezak z Pragi Srul Warszawer i powiedział o Polin na głos to, co Żydzi od niepamiętnych czasów wypowiadali między sobą w swoim niezrozumiałym dla Polaków języku: „A dlaczego Polska nazywa się Pojlin? Bo tam, gdzie mieszkasz, tam twoje jest". Tak oto ostatni rzezak rytualny z Pragi wytłumaczył Polakom, na jakiej podstawie Żydzi wzięli Polskę w posiadanie. Żydowskie rozumowanie przedstawione przez Srula Warszawera jest zgodne z żydowskim prawem chazaki, które oznacza nabycie prawa własności przez zasiedzenie.

Czy używając pojęcia Polin na określenie Rzeczypospolitej Polski chce Pan, Panie Prezydencie, uświadomić nam, Polakom, swoim wyborcom, że pod Pana panowaniem Polska przez żydowskie prawo chazaki (zasiedzenie) stała się także własnością Żydów? Wszyscy Polacy świętują dziś setną rocznicę odzyskania niepodległości naszej

Ojczyzny. W setną rocznicę odrodzonej Najjaśniejszej
Rzeczypospolitej warto przypomnieć prezydentowi Polski, różnej maści politykom i wszystkim nam, wyborcom,
jak przed stuleciem nasi dziadowie zareagowali na żądanie Żydów, aby oddać im część Polski we władanie. Gdy
w Komisji Konstytucyjnej Izaak Grünbaum, w imieniu
Związku Posłów Narodowości Żydowskiej, zgłosił propo-
zycję artykułu 113 Konstytucji o autonomii żydowskiej
i oświadczył, że: „Ziemie Rzeczpospolitej, zamieszkałe
w przeważającej większości przez narodowości niepol-
skie, stanowić będą autonomiczne prowincje", na forum
Sejmu poseł Mieczysław Niedziałkowski z PPS odpowiedział: Stanowczo, zupełnie kategorycznie i również
z całym spokojem i z zupełnie czystym sumieniem odrzu-
camy wszystkie te koncepcje, które chciałyby z Państwa
Polskiego uczynić wspólną własność Polaków i Żydów.
[...] Zachować musimy koniecznie zasadę ogólną, iż Państwo Polskie jest państwem tylko polskim. Sto lat temu
posłowie wszystkich frakcji parlamentarnych, od lewa do
prawa, poparli stanowisko posła Mieczysława Niedziałkowskiego. Stanowisko to poparli także wszyscy żyjący
wówczas Polacy. Panie Prezydencie Andrzeju Dudo, wy-
powiedziane sto lat temu przez naszych dziadów słowa
nie straciły na aktualności.

Roku Pańskiego 2018 Państwo Polskie nadal jest państwem tylko polskim. Proszę o tym pamiętać i nigdy
więcej nie próbować nam wmawiać, że dla Pana, Panie

Prezydencie, żydowskie prawo chazaki o zasiedzeniu ma wagę wyższą niż wola Polaków i prawo polskie. Nie pójdzie pan, Panie Prezydencie, 11 listopada w Marszu Niepodległości. Może słusznie. Proszę wybrać się na jakieś świętowanie do tego swojego nieistniejącego państwa Polin. Na zakończenie chce się powiedzieć: „Szanowny Panie Prezydencie, dłużej klasztora niż przeora". Przejdzie pan do historii jako prezydent Polin, a my w następnych wyborach, wierni idei naszych przodków sprzed stu lat, którzy wywalczyli Niepodległą, wybierzemy prezydenta, który powtórzy słowa posła Mieczysława Niedziałkowskiego:

Państwo Polskie jest państwem tylko polskim.

Ewa Kurek".

– Jeśli chcesz usłyszeć moje zdanie, odpowiem twoimi słowami: oto sedno sprawy. A wiesz, dlaczego tak uważam? Z tego samego powodu, dla którego to napisałaś: bo tu jest mój dom. Ale zatrzymajmy się przy tym liście – przy tej autonomii żydowskiej. O tym, że z terenu II RP Żydzi chcieli wykroić własne państwo opowiadał mi Wojtek Sumliński, któremu prokuratorzy lubelskiego IPN-u pokazywali nawet mapę autonomii w Lublinie.

– Dlaczego IPN nie rozszerzy badań Jolanty Żyndul, autorki książki „Państwo w państwie" Jest faktem, że Żydzi w swojej masie zrobili bardzo niewiele dla odzyskania przez Polskę niepodległości, prawie nic. Tymczasem ledwo Polska odzyskała niepodległość, a już nazajutrz,

12 listopada 1918, zażądali od Piłsudskiego autonomii. Naczelnik państwa posłał ich do diabła – i słusznie, bo to była rozbijacka robota. Następnie to samo zrobił polski Sejm. Ale potem przyszła wojna i Żydzi tę wyśnioną autonomię zbudowali w Polsce sami – no może nie do końca sami, bo przy wydatnym udziale Niemców. Mówię oczywiście o żydowskich gettach, coś, co dla dziewięćdziesięciu dzie-więciu procent ludzi, wyedukowanych na filmach rodem z Hollywood, które przedstawiają fikcję, jakby była prawdą, brzmi jak bajka o żelaznym wilku – a przecież to, co mówię o gettach, to najświętsza prawda. I dlatego ją powtórzę: Żydzi cieszyli się, że w okupowanej przez Niemców Polsce mają getta, bo uważali, że to jest ta ich wyśniona autonomia. I przez pierwszych kilkanaście miesię-cy wojny naprawdę mieli tam autonomię i byli przez Niemców traktowani nieporównywalnie lepiej niż Polacy. Do tego stopnia, że Polacy, by poprawić swój los, zakładali opaski z gwiazdą Dawida. Oczywiście później historia zatoczyła koło i Niemcy radykalnie zmienili swój stosunek do Żydów, ale to zaczęło się w 1941 i ostatecznie uległo całkowitej przemianie dopiero w 1942. Żydzi wykonali gigantyczna pracę, by te fakty, które tu podaję – bo to są fakty i tylko fakty – ukryć przed światem. I w zasadzie to im się udało. A udało się z tych samych powodów, dla których w świadomości opinii publicznej na całym świecie Powstanie Warszawskie i powstanie w warszawskim getcie to jedno

i to samo powstanie – oczywiście żydowskie powstanie, bo w Polsce, rzecz jasna, tylko Żydzi z Niemcami walczyli, Polacy z Niemcami wyłącznie kolaborowali. Taki był przekaz i tak do dziś uważa świat, a uważa tak, bo komuś bardzo zależało i wciąż zależy, by tak uważał. To „pomyłki" w artykułach, filmach, Netflixach, w których przemyca się przekaz o polskich nazistach, polskich obozach koncentracyjnych i tym podobne brednie – to nie są żadne pomyłki, to działanie na zasadzie: „kropla drąży skałę" albo „cierpliwy ugotuje kamienie na miękko". To dzieje się od lat, ale w Polsce ludzie dostrzegli to całkiem niedawno i tylko dlatego, że ostatnio to zjawisko nabrało tempa, bo komuś wyraźnie zaczęło się śpieszyć...

Ale wracając do początków – po wojnie znaleźliśmy się za żelazną kurtyną, pod sowieckim butem, zdominowani przez Żydów, którzy zajmowali kluczowe stanowiska w państwie, zostawieni i zdradzeni przez Zachód, wyniszczeni i stłamszeni – kto miał o tym mówić? Kto miał walczyć o prawdę i pokazać, że Żydzi w pierwszej fazie okupacji z Niemcami współpracowali i potem próbowali ten absolutnie dyskredytujący dla nich fakt ukryć, odwracając kota ogonem? Kto miał pokazać, że wymyślili własną opowieść o zagładzie? Opowieść niezwykłą – ale nieprawdziwą?

– To bardziej odległe od tego, w co uwierzył świat i czym karmiono nas przez dziesięciolecia, niż najdalsza galaktyka. Po czymś takim pojawią się dwa rodzaje oskarżycieli: pierwsi powiedzą, że oszalałaś po prostu. Ci drudzy dodadzą, że mówienie takich rzeczy to loteria – niebezpieczna loteria.

– Można łatwo sprawdzić, czy oszalałam. Niech ludzie, którzy tak myślą, pójdą do ŻIH-u i niech poproszą o „Kroniki getta łódzkiego" pod redakcją Danuty Dąbrowskiej i Lucjana Dobroszyckiego. Niech poproszą o „Adama Czerniakowa dziennik getta warszawskiego" albo jeszcze lepiej o „Kronikę getta warszawskiego" Emanuela Ringelbluma. Przecież tych dokumentów nie napisała Ewa Kurek, każdy może sprawdzić, co tam zawarto. Przebudzenie – oto, co ich czeka. Zobaczą, jak bardzo zamydlono im i w ogóle nam wszystkim oczy. W Żydowskim Instytucie Historycznym znajduje się mnóstwo innych relacji żydowskich świadków spisanych w języku jidysz, które do tej pory nie doczekały się tłumaczeń. A wiesz dlaczego? Bo są totalnie sprzeczne z obowiązującą narracją, podważają ją każdym słowem, dotyczy to zwłaszcza pierwszych lat okupacji, kiedy Niemcy i Żydzi żyli w symbiozie – tak to nazywa przecież Ringelblum. Odważni niech poproszą pracowników Żydowskiego Instytutu Historycznego o zgodę na przetłumaczenie tych dokumentów, których jeszcze nie przetłumaczono. Reakcja na taką ich prośbę ze strony pracowników ŻIH-u – to dopiero będzie loteria.

– Wiem, o czym mówisz. Feiwel – Paweł – Wiederman, doktor prawa i nauczyciel, w książce pod tytułem „Pło-

wa Bestia", traktującej o gettach żydowskich na Górnym
Śląsku, opowiedział historię Mosze Meryn i jego współpracowników – opowiedział bez upiększeń. W 1945
znalazł się w amerykańskiej strefie okupacyjnej w Mo-
nachium i opublikował swoje notatki z pobytu w getcie
w Sosnowcu. W bibliotekach na całym świecie ostało się
zaledwie siedemnaście egzemplarzy jego wspomnień, w
tym w Polsce – jeden. A gdyby ktoś chciał rozpowszech-
nić to, co Wiederman napisał we wspomnieniach, dowie
się, że to niemożliwe – ze względów prawnych, rzecz jasna.

– Bo materiały tego typu to tajemnica. Jedna z tych,
których nikt nie odkrywa przypadkiem i których strze-
że się jak źrenicy oka. Uchylmy zatem rąbka tajemnicy.
Zacznijmy od zrobienia krótkiego quizu. Jak wiele osób
wie, że elity żydowskie, bez przymusu, sfinansowały budowę muru oddzielającego w okupowanej przez Niemców
Warszawie „świat gojów od świata Żydów"? Pytanie nie
jest trudne, a odpowiedź właściwie banalna: niewiele.
Żydowski historyk Henryk Makower w „Pamiętniku
z getta warszawskiego" napisał tak: „Mieliśmy więc
powód do radości, bo nam dali takie duże i ładne getto
w Śródmieściu". Z kolei Ringelblum, opisując ukończenie
budowy murów wokół dzielnicy żydowskiej w Warszawie, dodaje: „Nie jest to getto, lecz zamknięta dzielnica
mieszkaniowa, która, jak i przedtem, będzie zaopatry-
wana przez magistrat w artykuły żywnościowe. Ludzie

wykupują obecnie gorączkowo lekarstwa. Zaopatrują się w nie bez miary, zajmują się tym Komitety Domowe, jak również poszczególne osoby. Niemcy z kierownictwa guberni krakowskiej (Generalnej Guberni) są przeciwni gettu. Schön, organizator getta, przepadł przy wyborach w partii. Żywi się nadzieję, że wpłynie to na położenie Żydów w Warszawie. Niemcy mieli podobno podać jako przyczynę utworzenia getta konieczność ochrony Żydów przed Polakami".

Czerniaków, uczestnik procesu decyzyjnego, a przynajmniej informowany o nim na bieżąco, w dzienniku napisał tak: „4 IV 1940 – Rano u Brauna (adiutant Leista). Mury są po to, aby Żydów bronić przed ekscesami. Cegły mogą przynieść sami Żydzi, każdy od 10 do 60 lat po kilka. Idea ghetta.

9 IV 1940 – Wezwany na 8.30 do SS. Poruszyłem sprawę murów. Dałem materiał.

13 IV 1940 – Za mury zapłacimy.

10 V 1940 – Dostałem dziś »Szkic zamkniętego rejonu Warszawy«.

20 VIII 1940 – Podpisano plan dzielnicy żydowskiej (rozszerzonej).

30 IX 1940 – Opracowanie obrony obszaru ghetta (Złota, Hale Mirowskie, Stare Miasto, etc.)

8 XI 1940 – Kunze prosi o list w sprawie finansowania murów przez społeczeństwo.

13 XI 1941 – Część ghetta ma mury, część drut kolcza-

sty". Można cytować bez końca. Czy, opłacając budowę muru, Żydzi finansowali więzienie? Nie. Obóz koncentracyjny? Nie. Miejsce kaźni? Także nie. To co takiego finansowali, że robili to tak ochoczo? Wyczekiwane miejsce do życia, z dobrze rozwiniętą administracją, służbą porządkową, policją, władzą wykonawczą w osobie burmistrza i Judenratów, polityką wewnętrzną. Finansowali swoją enklawę – swoją autonomię.

Dwa słowa o Judenratach, które odgrywały w gettach ważną rolę. Realizowały zadania administracyjne, zajmowały się utrzymaniem porządku, ewidencją ludności, zbieraniem kontrybucji i grzywien, organizowaniem wytwórczości na rzecz przemysłu niemieckiego, nadzorem nad szkolnictwem, opieką społeczną i emigracją, a w późniejszym okresie udziałem w organizowaniu wywózek ludności żydowskiej do obozów zagłady. Z punktu widzenia Niemców instytucja bez wahania wykonująca polecenia, administrująca kilkoma milionami ludzi, dbająca o bezpieczeństwo wewnętrzne, dystrybucję żywości i aprowizację mieszkańców – to było coś bardzo wygodnego, bo przy zadowalających efektach nie absorbowało sił niemieckich. Zaskakująca może być natomiast łatwowierność elit żydowskich w odniesieniu do współpracy z Niemcami, nie tylko zresztą w Generalnym Gubernatorstwie. Dobrze obrazują to słowa Hannah Arendt, która napisała wprost: „Na podstawie inspirowanych, ale nie dyktowanych przez nazistów manifestów, które funkcjonariusze ci ogłaszali, możemy się przekonać – jeszcze dzisiaj – jak wielką rozkosz sprawiała im nowo pozyskana władza: Centralna Rada Żydowska otrzymała prawo wyłącznego dysponowania wszelkimi dobrami duchowymi i materialnymi Żydów – a także wszelką żydowską siłą roboczą".

I jeszcze jeden cytat: „Doskonale pamiętamy twarze żydowskich przywódców z czasów hitlerowskich, poczynając od Chaima Rumkowskiego, prezesa Rady Żydowskiej w Łodzi, zwanego Chaimem I, który wprowadził do obiegu banknoty noszące jego podpis oraz znaczki pocztowe ze swoją podobizną i kazał się wozić zdezelowaną karetą, poprzez Leo Baecka (prezes Delegacji Żydów Niemieckich w Rzeszy, honorowy prezydent Rady Starszych w KL Terezin), człowieka wykształconego, dobrze ułożonego, który sądził, że policjanci żydowscy będą „łagodniejsi i bardziej przydatni".

Do lipca 1942, momentu rozpoczęcia wywózek do obozów zagłady, uprawnienia autonomii formalnie nie zostały cofnięte. Wcześniej, pod koniec listopada 1941, za zgodą Gestapo powołano paramilitarną organizację potrzebną do prowadzenia polityki wewnętrznej – Żydowską Służbę Porządkową, której dowódcą został przedwojenny policjant w stopniu podpułkownika Józef Andrzej Szeryński vel Szenkman. Rolą formacji było wspomagać żydowskich urzędników Judenratu w egzekwowaniu od ludności żydowskiej wypełniania własnych rozporządzeń oraz rozporządzeń Niemców.

W krótkim czasie ŻSP przejęła od innych służb porząd-
kowych, polskich i niemieckich, wszystkie uprawnienia
policyjne. Tak wyglądało dopełnienie zakresu przywile-
jów autonomii, które Niemcy przyznali Żydom w Generalnej Guberni.

Warto w tym miejscu przypomnieć słowa wielkiej filozof
żydowskiej Hannah Arendt, zniszczonej przez środowiska żydowskie za mówienie prawdy o Holokauście. We
wspaniałej pracy „Eichmann w Jerozolimie" Arendt napisała: „Rola, jaką przywódcy żydowscy odegrali w unicestwieniu własnego narodu, stanowi niewątpliwie naj-
czarniejszy rozdział całej tej ponurej historii. Zarówno
w Amsterdamie, jak w Warszawie, w Berlinie tak
samo jak w Budapeszcie można było mieć pewność, że
funkcjonariusze żydowscy sporządzą wykazy imienne
wraz z informacjami o majątku, zagwarantują uzyskanie od deportowanych pieniędzy na pokrycie kosztów
ich deportacji i eksterminacji, będą aktualizować rejestr
opróżnionych mieszkań, zapewnią pomoc własnej policji
w chwytaniu i ładowaniu Żydów do pociągów, na koniec zaś – w ostatnim geście dobrej woli – przekażą
nietknięte aktywa gminy żydowskiej do ostatecznej konfiskaty".

By to wyjaśnić, trzeba zacząć od początku.

Postępowanie względem ludności uznanej przez hitle-
rowską nomenklaturę za Żydów ustalili Niemcy już 21

września 1939 roku na odbytej w Berlinie naradzie. Wkrótce Heydrich skierował do szefów grup operacyjnych działających w Polsce wytyczne, których fragmenty brzmiały następująco: „Powołując się na odbytą dziś w Berlinie konferencję, jeszcze raz zwracam uwagę na to, że zaplanowane łącznie posunięcia (a więc ostateczny cel) muszą być utrzymane w ścisłej tajemnicy. Należy odróżnić: 1. ostateczny cel (który wymaga dłuższego czasu), 2. od etapów prowadzących do ostatecznego celu (które będą realizowane w krótkich terminach). [...] Pierwszym założeniem prowadzącym do ostatecznego celu jest koncentracja Żydów z prowincji w większych miastach. [...] W każdej gminie żydowskiej należy ustanowić Żydowską Radę Starszych. [...] Radę należy obarczyć pełną odpowiedzialnością, w całym tego słowa znaczeniu, za dokładne i terminowe wykonanie wszelkich wydanych lub wydawanych poleceń".

Wszczynając wojnę z Polską i tym samym II wojnę światową we wrześniu 1939, Niemcy mieli zatem w miarę precyzyjny plan zagłady Żydów. Ale Niemcy, jak to Niemcy, lubią działać w sposób uporządkowany, dobrze zaplanowany i przygotowany, więc „ostateczne rozwiązanie kwestii żydowskiej" postanowili zachować w ścisłej tajemnicy i odłożyli na późniejszy, bardziej dogodny, czas. W efekcie lata „pomiędzy" agresją na Polskę w 1939, a przełomem 1941/1942 Polscy Żydzi cieszyli się z uzyskanej autonomii. Ale gdy cała Europa została już podbita, gdy Niemcy byli pod Moskwą, Reinhard Heydrich poinformował wysokich urzędników państwowych o podjętych decyzjach w kwestii „ostatecznego rozwiązania kwestii żydowskiej".

Od pierwszych dni po wrześniowej klęsce Polacy przystąpili do budowy podziemnego państwa, którego nadrzędnym celem była walka z okupantami. Żydzi – przeciwnie. Uznali, że wojna jest sprawą polsko-niemiecką, a dla nich nadszedł wreszcie dogodny czas, by zrealizować marzenie o autonomii. Jak zawsze w historii relacji polsko-żydowskich, przyjęli „postawę cudzoziemską" i uznali, że w tej nowej rzeczywistości najlepszym rozwiązaniem będzie współpraca z Niemcami. Napaści Niemiec na Polskę w zdecydowanej większości nie traktowali jako „sprawy żydowskiej" i, jak tyle razy w historii, obrali drogę koegzystencji z okupantem. Jednym słowem: umarł król – niech żyje król. I tyle.

W „Kronice getta warszawskiego" Emanuel Ringelblum opisuje, jak to się odbywało. Rzeczy, które wielu mogą szokować: „znajomość języka niemieckiego była ważnym czynnikiem zbliżenia się z Niemcami. Pan Icchak [Gitterman] uważa, że w Stargardzie 95% Niemców to porządni ludzie. Symbioza niemieckich i żydowskich rzemieślników: pożyczają sobie pieniądze na procent.[Stosunek] przedstawicieli władz niemieckich niezły" – i tak dalej. Jak na martyrologię Żydów, która podobno trwała od pierwszych chwil okupacji, zadziwiająca relacja, ale przecież potwierdzona przez wiele innych. Połączone w całość dowodzą przede wszystkim jednego: to, co nam wmawiano o stosunkach żydowsko-niemieckich w pierwszej fazie wojny, można włożyć między bajki. Według wielu – żydowskich przecież – źródeł warszawscy Żydzi podziwiali kulturę i dobroć niemiecką. A to, że później srogo się zawiedli – to już zupełnie inna sprawa.

Planując „ostateczne rozwiązanie kwestii żydowskiej", Niemcy zapewnili sobie przychylność elit żydowskich. Chaim Rumkowski w Łodzi uzyskał od Niemców pełnomocnictwa w administrowaniu gminą żydowską, w oparciu o które samodzielnie dobierał współpracowników i powoływał nowe komórki administracyjne. Podobnie było w innych gettach. W zapiskach Adama Czerniakowa zachowały się słowa ilustrujące powstawanie żydowskiej autonomii:

„20 IX 1940 – Na konferencji L[eist] przedstawił mnie jakiemuś wyższemu urzędnikowi z dystryktu. [...] Mamy otrzymać „Selbständige Autonomie" – niezależną autonomię.

Innymi słowy jesienią 1940 Adam Czerniaków dostał od Niemców zapewnienie o planach przyznania Żydom niezależności, o zakresie jeszcze niesprecyzowanym. W kolejnych miesiącach wszystko jednak doprecyzowano. Wiosną 1941 Niemcy zaakceptowali budżet autonomii i 14 maja 1941 komisarz dzielnicy żydowskiej Otto Mohnsa poinformował Czerniakowa o mianowaniu go burmistrzem dzielnicy żydowskiej w Warszawie. Oficjalne potwierdzenie nominacji na stanowisko Czerniaków uzyskał pięć dni później, z rąk doktora Heinza Auerswalda. Od tego momentu burmistrz był już formalnie urzędnikiem państwowym, z kolei Rada Starszych – Judenrat – zyskała status zarządu gminy żydowskiej. I tak warszawska terytorialna autonomia żydowska stała się jednostką administracyjną, niezależną od Generalnej Guberni, częścią składową III Rzeszy. Podobną strukturę przyjęto w getcie łódzkim, różnice były głównie w nazewnictwie. Swoje jednostki organizacyjne Rumkowski nazwał ministerstwami, a getto – czyli autonomię – po prostu „państwem". Aparat urzędniczy liczył kilka tysięcy osób, funkcjonowały ogromne przedsiębiorstwa produkcyjne, porządku strzegła żydowska policja, a przełożony Starszeństwa Żydów powołał nawet Ministerstwo Spraw Zagranicznych, co wyglądałoby może nawet śmiesznie, gdyby nie wyglądało przede wszystkim tragicznie.

Generalnie Chaim Rumkowski stworzył w łódzkiej autonomii sprawny aparat urzędniczy i wydawał nawet własną walutę – „chaimki". Zaspokajał zapotrzebowanie administracji niemieckiej, więc pomimo jego „dziwactw" Niemcy tolerowali „niestandardowe" zachowanie, a on sam, poprzez rozbudowaną do bizantyjskich rozmiarów administrację gminy, kontrolował praktycznie wszystko i przy okazji na niezliczonych koneksjach zarabiał krocie.

W Warszawie Adam Czerniaków także dysponował

sprawną administracją, która przebiegała dwutorowo: istniała Rada Starszych, Judenrat, ale zarazem urząd burmistrza – Verwaltung des Jüdischen Wohnbesitzes – któremu podlegały departamenty. Judenrat miał charakter samorządowy, administracja quasi-państwowy „Der jüdischer Wohnbezirk in Warschau" – żydowskiej dzielnicy mieszkaniowej w Warszawie, na czele której stał burmistrz „Obmann des Judenrates-Warschau" Adam Czerniaków. 19 sierpnia 1941 urzędnicy Generalnej Guberni w Krakowie zaaprobowali budżet i tak autonomia żydowska w Warszawie przybrała swój ostateczny kształt. Żydowskie autonomie terytorialne na terenie Generalnej Guberni przybrały charakter samorządowo-państwowy i tak Niemcy spełnili marzenie Żydów, którego w 1918 nie chcieli spełnić Polacy.

Wychodząc naprzeciw oczekiwań Żydów okupanci, rzecz jasna, realizowali własne cele, bo kontrolowanie zamkniętych w gettach autonomii miało wymiar po prostu praktyczny – nadzorowanie z tylnego szeregu zwartej, zamieszkałej na jednym terytorium, jednorodnej pod względem etnicznym grupy kilkuset tysięcy ludzi w gettach było po prostu łatwiejsze.

Tak więc wszyscy byli zadowoleni – ale do czasu...

Kto zna taką prawdę?

*

Zdjąłem słuchawki z uszu, wyjąłem pendrive'a i nabrałem głęboko powietrza w płuca. Niby znałem to wszystko i o wszystkim już wiedziałem. Nie urwałem się z choinki i nie mieszkałem pod lodem, a po przebrnięciu przez tony akt, po wielomiesięcznych analizach i rozmowach do białego rana człowiek miał świadomość tego i owego. A jednak cały czas nie mogłem uwierzyć własnym uszom i temu, że zwiedziono nas i oszukano do tego stopnia.

Pochłonięty myślami dopiero teraz spostrzegłem, że dojeżdżam do Instytutu Archeologii w Toruniu. Zaparkowałem pod budynkiem i wyszedłem na zewnątrz. Było jeszcze widno, ale dzień się już nachylił.

Zapowiadał się długi wieczór.

ROZDZIAŁ IV
CENA PRAWDY

– Archeologia to fascynująca dziedzina – ziemia kryje
w sobie wiele tajemnic, a my mieliśmy do wykonania zadanie i chcieliśmy je wykonać. Zrobić, co należy. Byliśmy dobrymi kolegami i się wspieraliśmy. Zgrany zespół
– wszyscy z Torunia. Każdy z moich współpracowników
i doktorantów po przynajmniej tysiącu ekshumacji, po
Katyniu, Charkowie. Mieliśmy świadomość wagi sprawy
i dlatego nikt się nie oszczędzał. Człowiek nie wiedział,
kiedy kończy się dzień pracy, bo nie było godzin pracy.
Przesadą byłoby stwierdzenie, że po kilku tygodniach
takiej orki znaliśmy już rozwiązanie łamigłówki, jednak
wiedzieliśmy, co robić i jak to robić – i byliśmy blisko.
Ale sprawy przybrały odmienny obrót.
To było nazajutrz po odkryciu, które zmieniało wszystko – cała prawda o tym, co wydarzyło się w Jedwabnem
10 lipca 1941 stanęła przed nami otworem. Wystarczyło

pójść odkrytymi tropami i uzyskalibyśmy wszystkie odpowiedzi na pytania dotąd bez odpowiedzi. Ale wtedy, nagle, oni zareagowali.

To było pamiętny i smutny dzień. Od rana coś się wykluwało, nie wiedzieliśmy tylko – co. Przyjechał rabin Michael Schudrich i o czymś dyskutował z rabinem Ecksteinem. Ze strzępek prowadzonych głośno rozmów wynikało, że o wstrzymaniu prac. To nie miało sensu, nic z tego nie rozumieliśmy. Z kontekstu rozmów, jakie prowadzili i z którymi wcale się nie kryli, wynikało, że rozmawiają z Tel Awiwem i Waszyngtonem. Telefon dzwonił jak najęty.

A potem przyszła decyzja, że to koniec. Koniec wszystkiego. Nie wierzyliśmy własnym uszom. Gdy nam to oznajmiono, zapadła grobowa cisza. Niektórzy byli wściekli, inni – załamani, wszyscy czuliśmy się jak ludzie, których tam, w Jedwabnem, pozbawiono nadziei. Została tylko ta cisza. Przygnębiający widok. Stało się. W powietrzu zawisło pytanie: co teraz?

Od pokazania prawdy dzielił nas tylko mały krok, tymczasem wszystko, co odkryliśmy, musieliśmy zakopać. I tak z naszym odkryciem zakopaliśmy prawdę. Decydowało o tym wielu ludzi – i raczej niewielu w Polsce. To była nieszablonowa decyzja i niespotykana sytuacja. W całej swojej kilkudziesięcioletniej karierze nie spotkałam się nigdy z czymś tak absurdalnym, ani wcześniej, ani później. To chyba wtedy pierwszy raz pomyślałam, że preparują tę historię. To, co się tam wtedy zadziało, ten nadzór, tajemnice, knowania, naciski, ta atmosfera, na koniec przerwanie ekshumacji – to było coś tak nieprawdopodobnie odległego od zawodu archeologa i w ogóle od wszystkiego, czym się w życiu zajmowałam, że na lata zaciążyło to nie tylko na mojej pracy, ale także na mnie osobiście. Długo nie mogłam sobie z tym poradzić i zadawałam pytanie: jak wrócić do normalności po czymś takim? Starałem się wymazać to z pamięci, zapomnieć – ale nie zapomniałam. Kiedyś nie rozumiałam tego wszystkiego, co się tam wtedy wydarzyło. Dzisiaj chyba już to rozumiem...

Przez cały ten czas, kiedy mówiła, nie przerwałem jej ani słowem. Chyba nawet okiem nie mrugnąłem. Przyglądałem się w milczeniu tej eleganckiej, od pierwszego kontaktu budzącej sympatię kobiecie, która osiągnęła wiele sukcesów, ale nie zadzierała nosa i ocaliła w sobie to coś, co określa się po prostu naturalnością. Zachowała w obliczu mieszaninę dobroci, pokory i pogody ducha, choć teraz, gdy opowiadała o wydarzeniach sprzed osiemnastu lat, pojawiło się tam coś jeszcze, co przywoływało na myśl jedno tylko słowo – smutek. Wiedziałem, skąd ten smutek, bo wiedziałem, co czuła. Tamta sprawa to było coś wielkiego, dla niej i wszystkich innych. Chcieli zrobić coś pożytecznego, w myśl zasady „zostawić po sobie świat lepszym niż ten, który się zastało", dokładali starań – ale nie mieli pojęcia, jak potężne sprzęgają się przeciw nim niewidzialne moce. I nawet teraz, po tylu latach od tych wydarzeń, w tym przytulnym, pełnym eksponatów miejscu, które skłaniało do nabierania dystansu do świata i nawet do tego daru, jakim jest czas, przykre wspomnienie wyraźnie sprawiało jej ból. Wydawało mi się, że ją rozumiem, ale może tylko tak mi się wydawało, bo – jak powiadają – trzeba coś przeżyć, żeby coś zrozumieć. Współczułem jej z całego serca, ale tak czy inaczej i bez względu na to, jak bardzo brutalnie by to nie zabrzmiało, mieliśmy do omówienia ważne rzeczy i wiedziałem, że powinniśmy o nich pomówić teraz – dlatego zapytałem:

– Czy opowie nam pani tę historię od samego początku? O wszystkim, co się tam wtedy stało, tak, jak pani to zapamiętała, przeżyła osobiście? Nie chodzi o politykę czy następną kadencję, ale o na-stępne pokolenia, o prawdziwą pani historię – historię wielu ludzi...

*

To było wiosną 2001. Akurat byłam w Gdańsku na sympozjum protestanckim, gdy dowiedziałam się, że jedziemy do Jedwabnego na ekshumację. Nazajutrz wyjazd wstrzymano – ale potem sytuacja się powtórzyła i już tylko ten początek dawał do myślenia, że to nie będzie zwyczajna ekshumacja. Ostatecznie jednak pojechaliśmy i zaczęliśmy pracę.

Od początku wszystko tam było dziwne, inne niż gdziekolwiek indziej. Jedno spojrzenie i już wiedziałam, że będzie ciekawie. Teren obstawiony przez policję, że i mysz się nie prześlizgnie – zresztą nie tylko policję – wewnątrz wszystko pilnowane, obserwowane, zasłonięte siatkami maskującymi, stanowiska pracy wyłącznie za specjalnymi przepustkami – jakiś matrix. Gdy profesor Andrzej Kola, mój szef, zagubił przepustkę, nie mógł wejść na własne badania – była to absurdalna sytuacja, jak na wojnie, a nie polu archeologicznych badań.

Zaczęliśmy od poszukiwań stodoły – miejsca kaźni. Szukaliśmy na podstawie informacji, które nam przekazano, ale to była ślepa uliczka. Zaczęliśmy więc szukać po swojemu i błyskawicznie znaleźliśmy to, czego szukaliśmy. Poszło nam sprawnie, bo byliśmy zgraną grupą. Profesor Kola skon-struował ekipę na bazie fachowców, ludzi, którzy pracowali przy ekshumacjach katyńskich. Rozu--mieliśmy się bez słów, nikt nikomu nie musiał mówić, co ma robić i jak ma to robić. W momencie rozpoczęcia prac każdy zajął się swoimi obowiązkami – wytyczeniem wykopu, przygotowaniem sprzętu. Obserwatorzy pokpiwali z nas, że pracujemy tak bez narady, ustaleń, ale przecież my nie przyjechaliśmy tam na dyskusje. Byliśmy na miejscu już wcześniej, wszystko precyzyjnie przemyśleliśmy i zaplanowaliśmy. Teraz mieliśmy do zrealizowania konkretne zadanie i od pierwszego dnia je realizowaliśmy. Najważniejszą sprawą było znalezienie zbiorowej mogiły – od tego rozpoczęliśmy badania. Jak to wyglądało? Według zeznań naocznych świadków zbiorowa mogiła znajdowała się na kirkucie i to samo mówili nadzorujący pracę rabini – wskazywali kirkut na miejsce poszukiwań i mówili, że tam jest wszystko, co nas interesuje – a jednak się pomylili, bo zbiorowego grobu tam nie było. Mieliśmy wprawę w znajdywanie zbiorowych mogił – i szybko poznaliśmy, że to ślepa uliczka. Co robić? Nadzorujący naszą pracę przedstawiciele strony żydowskiej nie uwierzyli nam i non stop odsyłali nas do tego kirkutu. Dyrygował tym wszystkim rabin Michael Schudrich. Był niesamowity – mój „ulubieniec". Cały czas na krótkim łączu z Warszawą, Tel Awiwem, Waszyngtonem. Ze strony żydowskiej pracę formalnie nadzorował co prawda rabin Eckstein – człowiek miły i taktowny, niebrużdżący nam w pracy – ale on tylko firmował to zarządzanie. W rzeczywistości o wszystkim decydował Schudrich, który próbował wydawać nam dyspozycje według jakichś wytycznych. Rzecz w tym, że te wytyczne miały się nijak do rzetelnych badań archeologicznych. Lawirowanie między tymi jego rozporządzeniami było równie trudne jak znalezienie słońca w nocy, ale Schudrich nie odpuszczał. To było niepojęte. Z czymś takim nie spotkałam się nigdzie i nigdy – i nie tylko ja, nikt z naszej ekipy ani w ogóle nikt z naszej branży, a rozmawiałam z wieloma przyjaciółmi, z czymś takim nie spotkał się nigdy – by osobom prowadzącym badania non stop przerywać i nakazywać, jak mają je prowadzić. Wykańczał nas psychicznie, po prostu. Na tyle skutecznie, że wiem to na pewno: już nigdy, przenigdy, milion razy nigdy nie mogłabym w czymś takim uczestniczyć – nie zdołałabym utrzymać nerwów na wodzy, po prostu. Już wtedy z ledwością wytrzymałam, a byłam jeszcze młoda i bardzo grzeczna. Rabin przebrał jednak miarę i gdyby nie profesor Kola – najwyraźniej pozbawiony nerwów, niczym kamienny mur – mogło być różnie. To było najtrudniejsze zadanie mojego życia i wcale nie chodzi o trudności w badaniach archeologicznych czy coś takiego, ale kontakty międzyludzkie. To, co Schudrich z nami robił i jak nas traktował, wołało o pomstę do nieba. Wydaje mi się, a właściwie jestem tego pewna, że chcieliśmy w Jedwabnem znaleźć zupełnie co innego: my szukaliśmy prawdy, Schudrich – potwierdzenia wersji Jana Tomasza Grossa. Ale akurat tego tam nie znalazł. Prowadzenie badań w takiej atmosferze przez dziesięć godzin dziennie, przy nieustannych ingerencjach i permanentnym przerywaniu prac, było zwyczajnym marnotrawstwem czasu. Właściwie codziennie siadaliśmy na krawędziach wykopów i zadawaliśmy sobie jedno pytanie: czy pozwolą nam dziś pracować? Gdy nie było zgody albo nadzoru strony żydowskiej – nie mogliśmy zrobić nic.

W tej anormalnej sytuacji trzeba było coś wymyślić. Chodziło o znalezienie zajęcia dla młodych współpracowników, bo ile można siedzieć bezczynnie na wykopie, i o wynajętych ludzi, którzy pomagali przy kopaniu. W pewnej chwili ktoś rzucił pomysł, by dokonać wykopu w środku stodoły, bo skoro nic tam nie ma – a według zapewnień nie ma – to zgoda rabinów jest nam niepotrzebna. Pomyśleliśmy, że niczemu to nie zawadzi – i momentalnie okazało się, że zbiorowa mogiła, której szukaliśmy na kirkucie i której wbrew zapewnieniom tam nie było – jest w stodole. Co było dalej? Istne piekło. Schudrich nawet nie próbował ukryć niezadowolenia, bo przecież nasze odkrycie całkowicie niszczyło wiarygodność świadków, którzy zeznawali przed sądem i na relacji których oparł się Jan Tomasz Gross. Bo jeśli zbiorową mogiłę i pomnik Lenina znaleźliśmy w stodole – to co widzieli „naoczni świadkowie" zbrodni, którzy mogiłę i pomnik umiejscawiali na kirkucie? Jednym zdaniem – nasze odkrycie pokazywało wprost, że ich zeznania były funta kłaków warte i prowadziły na manowce. To wszystko zrozumiałam jednak dopiero później, bo w tamtej chwili nie pojmowałam istoty gniewu Schudricha. My przyjechaliśmy do Jedwabnego, by zrobić swoją robotę, po nic innego. Najwyraźniej Schudrich przyjechał z tego samego powodu – rzecz w tym, że kompletnie inaczej to rozumieliśmy.

Do pracy przystąpiliśmy z całą energią ludzi, którzy po

długim okresie bezczynności i ciągłym przerywaniu misji wreszcie mogli ją realizować. Pracowaliśmy bardzo intensywnie – całe czterdzieści pięć minut!!! A potem pojawiła się informacja, że to koniec prac – to był kolejny niezrozumiały krok. Być może w innych okolicznościach przyrody byłoby to nawet zabawne, gdyby nie to, że w tamtych miejscu, czasie i atmosferze było zwyczajnie przerażające. Zastanawialiśmy się wszyscy, gdzie my jesteśmy i co my tu właściwie robimy. Przez ten krótki czas udało nam się odkryć betonowy, potężny pomnik Lenina i pierwszą warstwę szkieletów ułożonych równolegle. Udało nam się też zmierzyć szerokość i długość mogiły. W związku z tym, że moje hobby to tkaniny, od razu poznałam, że tkaniny leżące na szczątkach są wyprażone. Ponieważ się na to uparłam – a potrafię być uparta – pozwolono mi zrobić analizę tkanin i zapytano, jak wyobrażam sobie przebieg zdarzeń, które w tamtym czasie tu zaszły. Odparłam, że całokształt tego, co już tylko do tego momentu zdążyliśmy ustalić, wskazuje, że mężczyźni niosący pomnik Lenina zostali zamordowani pierwsi, a potem wrzucono ich do mogiły. I nie na kirkucie, tylko tutaj.

Nie spodobało się to, co powiedziałam. Oj, bardzo się nie spodobało. W powietrzu zawisło pytanie – co będzie dalej?

Ponieważ nie pozwolono nam sprawdzić, jaka jest głębokość mogiły, chcieliśmy zrobić wykop obok mogiły. Ale tu spotkało nas kolejne zaskoczenie, a właściwie rozczarowanie, bo na to też nam nie pozwolono, a to już było naprawdę zastanawiające. Uszanowaliśmy zasadę, że nie narusza się szczątków w układzie anatomicznym Żydów, w porządku, choć gwoli ścisłości nie tyle był to grobowiec, co dół śmierci.

No ale przecież kopiąc obok mogiły niczego nie naruszaliśmy. Chodziło nam o to, by właśnie, niczego nie dotykając, sprawdzić głębokość tej mogiły, dzięki czemu, statystycznie, medycy sądowi i antropolodzy mogliby bardzo precyzyjnie obliczyć, ile faktycznie znajduje się tam szczątków – ale przesłanie było jasne: tego też nie wolno. Kropka. Co wolno? Siedzieć na wykopie i nic nie robić. To po co siedzieć? Już chyba lepiej sobie pójść. Być może o to właśnie komuś chodziło – by zostawić wszystko jak jest i broń Boże niczego nie dociekać – ale wtedy jeszcze tego nie rozumiałam...

Próbowałam im wytłumaczyć to i owo – ale niepotrzebnie. Dlaczego? Bo oni doskonale wszystko rozumieli. I nie pomimo tego, że rozumieli, a właśnie dlatego, że rozumieli, nie pozwolili nam niczego dotykać. Wszystko to jednak zaczęło do mnie docierać dopiero później, kiedy patrzyłam wstecz na to wszystko i kiedy wreszcie zrozumiałam, skąd u nich ten kompletny brak woli walki o to, by pójść naprzód – bo my byliśmy tam po to, by coś odkryć, oni – żeby właśnie nikt niczego nie odkrył.

Tak czy inaczej, mogliśmy operować jedynie taką fragmentaryczną wiedzą, jaką udało nam się zdobyć do tego momentu. Schemat, który w oparciu o mimo wszystko całkiem sporą liczbę danych mieliśmy przed oczami, był dość czytelny: najpierw zabito mężczyzn niosących pomnik Lenina i złożono ich do mogiły. Nie wiemy, czy mogiły wykopanej w stodole już wcześniej, czy wykopali ją sami ci nieszczęśnicy i tego się już pewnie nie dowiemy, bo pamięć ludzka zanikła. To, co wiemy jednak na pewno i co udało się ustalić ponad wszelką wątpliwość, to fakt, że gdy już zostali zamordowani, przysypano ich warstewką pięciu – dziesięciu centymetrów ziemi i dopiero wtedy wpędzono kobiety, dzieci, starców – a potem podpalono. Ta kilkucentymetrowa warstwa ziemi była na tyle przyprażona przez przepaloną stodołę, że tkaniny na tej pierwszej warstwie zostały wyprażone. Innymi słowy – tkaniny podlegały nie tyle działaniu bezpośredniego ognia, co temperatury. Już tylko to, co udało nam się odkryć, całkowicie zmieniało obraz wydarzeń w odniesieniu do tego, co przedstawiano nam wcześniej. Mogiły zbiorowej szukaliśmy na kirkucie, bo tak nakazywały zeznania świadków i rabini – i nikt nie powiedział, że będzie w stodole. A to był zwrot o sto osiemdziesiąt stopni w tych pracach, bo i te zeznania, i w ogóle cała ta historia nabierały zupełnie odmiennej formy i treści.

Te nieliczne, ale jednak ważne dane, jakie zebraliśmy, wskazywały na coś jeszcze – coś szalenie ważnego, wręcz kluczowego – że ci mężczyźni zostali po prostu rozstrzelani. W związku z tym, że w Jedwabnem nie mogliśmy podnieść szczątków, jak w Katyniu czy Charkowie, nie mogliśmy też ze stuprocentową pewnością sprawdzić, czy są przestrzeliny w czaszkach lub zadraśnięcia na kościach. W Charkowie, Katyniu takie rzeczy mogliśmy łatwo zweryfikować – i tu też moglibyśmy to potwierdzić ze stuprocentową pewnością lub temu absolutnie zaprzeczyć dzięki analizom archeologicznym. Ktoś jednak nie chciał takiej weryfikacji – najwyraźniej ktoś bardzo ważny – więc nie było weryfikacji. W sytuacji, jaką nam wytworzono, pozostała teoria – ale nie byle jaka teoria. Układ szkieletów – już tylko to, co odkryliśmy – nie wskazywał, by tych mężczyzn zasypano żywcem. Zdecydowanie byli martwi, gdy znaleźli się w tej mogile. Tu sprawa była oczywista. Otwarte pozostawało pytanie, jak zginęli – a to już takie oczywiste nie było. A jednak w oparciu o bardzo bogate doświadczenie, przede wszystkim to z Charkowa i Katynia, ale także z wielu innych miejsc, w oparciu o cały zespół drobnych przesłanek, które łączyły się w jeden zwarty nurt wzajemnych potwierdzeń, cały nasz zespół badawczy nie miał wątpliwości, że ci ludzie zostali rozstrzelani. Dowodów nie pozwolono nam zebrać, choć były w zasięgu ręki, ale jeżeli dwadzieścia osób w oparciu o swoją najlepszą wiedzę i doświadczenie dochodzi do takiego samego wniosku, to jest to chyba już coś więcej niż tylko teoria. Żadna inna sytuacja, a patrzyliśmy na to naprawdę od każdej strony, naszym zdaniem nie wchodziła w grę. To, co na pewno nie było teorią, to liczba zamordowanych. Zrobiono wiele, w zasadzie wszystko, by uniemożliwić nam zweryfikowanie liczby ofiar, a jednak mimo rozlicznych trudności i skrajnie niesprzyjających warunków, medycy sądowi i antropolodzy wyliczyli, że pomordowanych żadną miarą nie mogło być nad czterysta osób, może nawet sporo mniej. Nie mam bladego pojęcia, skąd wzięły się te opowieści o tysiącu sześciuset pomordowanych. Wiem jedno – i to akurat wiem na sto procent – są absolutnie, ale to absolutnie nieprawdziwe.

Odnalezienie stodoły to był pierwszy krok. Potem przyszedł krok drugi. Z materiałów, które wydobyliśmy ze szczątków, odczytaliśmy mnóstwo informacji. Opowiadano nam – świadkowie tak zeznali – że ofiary okradziono, tymczasem badając szczątki już tylko bardzo pobieżnie znaleźliśmy około pół kilograma biżuterii, do tego zegarek, pięć przedwojennych złotówek, które były skorodowane i stanowiły jedną masę. Opowiadano, że Żydzi, gdy byli przemieszczani w różnych pochodach, niekiedy połykali małe zegarki czy monety, ale nawet po tych pięciu złotówkach było jasne, że te przedmioty były przetrzymywane w kieszeniach, tworzyły jedną konkrecję. Gdyby zostały połknięte, byłyby rozproszone. Dużo takich rzeczy znaleźliśmy: pierścionki, zatrzaski, szpilki krawieckie, guziki, nawet klucze do mieszkania. A przecież część przedmiotów uległa rozkładowi – mokro, sucho, sześćdziesiąt lat zmiennych warunków przy tak przesiąkliwych glebach, jak w Jedwabnem, to szmat czasu.

Zrozumieliśmy od razu, że jeśli przy tak pobieżnym badaniu znaleźliśmy tyle kosztowności, to te opowieści o rabunkach po śmierci pomordowanych musiały zostać zmyślone, były fikcją po prostu. Ziemia, jak matka, zawsze powie prawdę, a obiekty opowiadają inną historię niż ludzie – historię prawdziwą. Przy takiej pracy można się niejednego nauczyć, na przykład tego, w jaki sposób manipuluje się historią...

I wreszcie ostatni krok – tajemnicza łuska. Na miejscu odnaleźliśmy wiele łusek i to od biedy dałoby się jeszcze jakoś wytłumaczyć. Ale jak wytłumaczyć obecność łuski w mogile, pod ciężkim pomnikiem Lenina, którego nikt nie ruszał od lipca 1941. Nie spodziewaliśmy się, że odkryjemy coś takiego – twardy dowód, że 10 lipca 1941 w Jedwabnem padły strzały. Kto mógł strzelać – kto miał wtedy broń? Odpowiedź była oczywistą oczywistością: Niemcy. Chyba że ktoś chce wierzyć – ktoś naprawdę niemający pojęcia – że latem 1941 Niemcy pozwolili Polakom posiadać broń.

Zrozumieliśmy to wszyscy momentalnie, cała nasza ekipa – ale najwyraźniej nie tylko my, bo to odkrycie było końcem ekshumacji w Jedwabnem. Dopiero teraz naprawdę zrobiło się nieciekawie. Wiele dziwnego się wydarzyło, pojawiali się nieznani nam ludzie, atmosfera zagęściła się jeszcze bardziej i już nic nie mogliśmy zrobić.

Próbowaliśmy podpytywać trochę naszą tłumaczkę, pamiętam, że na imię miała Sara – ale ona też nic nie wiedziała. Stało się. W powietrzu zawisło pytanie: co teraz? Potem przyjechali jacyś ludzie, których wcześniej nie widzieliśmy i jakieś dwie Żydówki z kamerą. To było dziwne, bo przez cały ten czas nikogo z kamerą nie wpuszczano: żadnych dziennikarzy – no może prawie żadnych, bo pojawił się Konstanty Gebert z „Gazety Wyborczej" – żadnych filmów czy zdjęć, wszystko ukryte i zamaskowane jak w świecie cieni. Pamiętam sytuację, jak jeden raz ktoś filmował z drzewa, na które wszedł – ale potem z tego drzewa spadł i jeszcze kamera spadła mu na głowę, nie wiem, jak to się skończyło. Ale to było jeden raz, skrycie – a tu przyjeżdżają jakieś dziewczynki z kamerą i wszystko oficjalnie filmują. Nasi chłopcy próbowali je zagadnąć, ale poradziłam im, że jeśli chcą mieć całe zęby, to lepiej niech dadzą sobie spokój. Bo jeśli czegoś jestem w życiu pewna, to tego, że nie były to dziennikarki – chodziły krokiem zdecydowanie marszowym, że się tak wyrażę.

A wracając do tajemniczej łuski – ta łuska to cała prawda o „polskiej zbrodni" w Jedwabnem.

W 1941 najwyraźniej komuś coś umknęło i zwyczajnie przeoczono tę jedną łuskę – tak rozumiałam to ja, tak rozumieli to inni. W sumie normalne. Przez czterdzieści lat pracy archeologa nie spotkałam się z przypadkiem, by wyzbierano szczątki w taki sposób, aby nie pozostał najmniejszy ślad. Ileś ekip może szukać po sobie i zawsze każda coś znajdzie. Jak to pisał Jan Długosz – rosną garnki na polu. Bo ziemia, prędzej czy później, zawsze wszystko ujawnia – to tylko kwestia czasu. Spadnie deszcz, zmieni się wiatr – tak czy owak wszystko zostanie odkryte. Tak samo jest w budowlach, na przykład w kościołach, gdzie różne tajemnice wychodzą na światło dzienne nawet po setkach lat, na przykład spod posadzki, przy czyszczeniu, by zrobić miejsce innym pochówkom bądź gdziekolwiek indziej. Nic nie ginie, ślady zostają zawsze! A łuski? Te wyzbierać najłatwiej.

Tajemnicza łuska, która znalazła się w Jedwabnem, najprawdopodobniej została wdeptana przez osoby, które były wtedy w stodole, zbierały łuski i zacierały ślady – ale nie zauważyły, że jedna łuska została.

Niemcy to ludzie perfekcyjni i szalenie uporządkowani – ale jednak tylko ludzie.

Pozostaje pytanie: co teraz?

*

Pożegnaliśmy się i wróciliśmy do swoich światów, do oddzielnych losów. Przez całą powrotną drogę do Lublina rozmyślałem o tej niezwykłej rozmowie i o niezwykłej profesor, która, mając przeciwko sobie niewidzialne moce, znalazła odwagę, by dochodzić prawdy, a potem zapłaciła za to cenę upokorzeń i utraty nadziei. Nie chciała wracać do przeszłości, ale uwierzyła, że jedynym sposobem na zrozumienie tego, co się stało, jest spojrzenie wstecz na to wszystko: sięgnięcie do przeszłości – dla przyszłości, by w dalszym życiu odnaleźć jego dobro i sens. I jeszcze wiarę, że po prostu warto opowiedzieć, jak było.

Cała ta niesamowita opowieść była niczym domknięcie koła i połączenie prawie wszystkich już kropeczek. Wszystko to było tak nierzeczywiste, jak w świecie cieni, i aż trudno było mi uwierzyć, że działo się naprawdę. Ale niestety to działo się naprawdę...

*

To było na początku listopada.

Był to czas, gdy nie mieliśmy już z Wojtkiem Sumlińskim wątpliwości, że większość z tego, co o okolicznościach zbrodni w Jedwabnem napisał Jan Tomasz Gross i co powtórzyli za nim jego apologeci, a po nich – świat, jest kłamstwem i że pojawienie się tego kłamstwa na masową skalę to nie przypadek, a bardzo niebezpieczna gra. Spotykając się teraz przed ostatnim akordem tej historii, wiedzieliśmy, że zrobiliśmy wszystko, co było do zrobienia i byliśmy prawie gotowi, by zamknąć tę historię odkrytą wspólnie z Ewą Kurek. Do ostatecznego zamknięcia całości pozostał nam jeszcze tylko jeden element, ale wiedzieliśmy już, co mamy zrobić i jak mamy to zrobić. Do podsumowania tego, co mieliśmy podsumować, potrzebowaliśmy tylko spokoju i ciszy, dokładnie takiej, jaka zawsze jest w małym domku nad Bugiem, w Serpelicach, które były zawsze spokojne i ciche.

I tak mniej więcej wyglądała sytuacja, kiedy spotkaliśmy się, by porozmawiać o tym, co ważne.

Popatrzyłem na kolegę, z którym przed laty związał mnie trudny los i rozpocząłem swoją opowieść...

*

Co naprawdę wydarzyło się w Jedwabnem 10 lipca 1941?

By odpowiedzieć na to pytanie, trzeba cofnąć się do wydarzeń, które rozegrały się kilkanaście dni wcześniej. 27 czerwca, po zajęciu Białegostoku, operujący na tyłach Wehrmachtu Niemcy z Sonderkommando zamykają ośmiuset Żydów w synagodze, budynek obrzucają granatami i podpalają. Potem jeszcze otaczają dwie żydowskie dzielnice i strzelają do wszystkiego, co się rusza – zabijają dwa tysiące osób.

Tak rozpoczyna się praktyczna realizacja ustaleń zawartych trzy miesiące wcześniej pomiędzy Reinhardem Heydrichem, Szefem Głównego Urzędu Bezpieczeństwa Rzeszy, i generałem Eduardem Wagnerem.

Jakie to ustalenia?

Decydenci Wehrmachtu i SS opracowują plan, którego celem jest oczyszczanie zaplecza frontu z radzieckich aparatczyków i urzędników, w większości Żydów. Realizacją zadania mają się zająć oddziały Einsatzkommando i Sonderkommando.

2 lipca 1941 Heydrich doprecyzowuje cele i sposoby, określając oczekiwania tak jasno, że nie musi już jaśniej. Oddajmy mu głos: „Na nowo zajętych, zwłaszcza byłych polskich terenach, mieszkający tam Polacy okazują się antykomunistyczni i antyżydowscy. Jest zrozumiałe, że akcje oczyszczające rozciągają się przede wszystkim na bolszewików i Żydów. W odniesieniu do polskiej inteligencji rozstrzygnięcia nastąpią później, chyba że w obliczu zagrożenia, przez zwlekanie, będą konieczne natychmiastowe działania. Dlatego jest rzeczą oczywistą, że do akcji oczyszczających nie należy brać tak nastawionych Polaków, chyba że w ograniczonych miejscowych warunkach będzie można wykorzystać ich dla pogromów lub jako wartościowych wywiadowców. Powyższą taktykę należy stosować we wszystkich podobnych przypadkach". I dalej: „Nie należy stawiać przeszkód dążeniom do samooczyszczania występującym na nowo zajętych terenach w kręgach antykomunistycznych i antyżydowskich. Przeciwnie, należy je wywoływać, nie pozostawiając śladu; jeśli to potrzebne – intensyfikować oraz kierować na odpowiednie tory w taki jednak sposób, żeby miejscowe

„koła samoobrony" nie mogły później powoływać się na rozporządzenia lub udzielone polityczne obietnice".

Ten dokument, podpisany przez Reinharda Heydricha, to cały fundament zbrodni w Jedwabnem.

Jednym z oddziałów, które realizują morderczy plan według instrukcji Heyndricha, jest Einsatzkommando Obersturmführera Hermanna Schapera.

W końcu czerwca są w Wiźnie, 5 lipca w Wąsoszu, 7 – w Radziłowie, 10 – w Jedwabnem, 22 sierpnia – w Tykocinie.

I wszędzie, gdzie są, mechanizm zbrodni jest podobny: zapędzają Żydów do zamkniętych pomieszczeń, palą i mordują. Tysiące niewinnych ofiar.

Potwierdzają to dokumenty i relacje ocalonych, którzy rozpoznają Schapera na zdjęciach, w przypadku Jedwabnego tylko – i aż – dokumenty.

Co wiadomo na pewno? 7 lipca komando Schapera pali kilkuset Żydów w stodole w Radziłowie. 10 lipca Schaper dociera do Jedwabnego i historia się powtarza – Żydzi zostają zamknięci w stodole, potem spaleni.

Czy zrobił to Schaper i jego ludzie? Odwróćmy pytanie – jeżeli tego nie zrobił, to po co przyjechał do Jedwabnego? Między paleniem ludzi a paleniem ludzi wpadł na kawę? Nie.

A może po ciężkiej pracy zapragnął w Jedwabnem odpocząć od palenia Żydów – ale miał pecha, bo tego dnia ktoś inny spalił tam Żydów? Absurdalna teoria.

Więc może to tylko przypadek, że tragicznego dnia Schaper jest w Jedwabnem?

I jeszcze to, że tego dnia zamordowano tam setki Żydów dokładnie tak, jak robił to zawsze on sam? Dużo tych przypadków.

Zaufajmy dokumentom, logice i zdrowemu rozsądkowi. Wszędzie, gdzie wtedy pojawia się Schaper, Żydzi są paleni i mordowani. W Jedwabnem też – i to nie przypadek. Jak to wygląda?

Łatwa akcja, jak w Radziłowie. Zajmują newralgiczne punkty miasteczka. Wszystko pod kontrolą, mysz się nie wymknie. Robili to wiele razy. Są panami życia i śmierci. W myśl rozkazu Heydricha pod lufami karabinów każą Polakom spędzać Żydów, potem pilnować. Większość polskich mieszkańców po prostu jest przerażona, chcą żyć – to ludzkie. Inni – nieliczni – może działają z niskich pobudek, może dlatego, że pamiętają żydowską zdradę z 1939, współpracę z drugim okupantem? Czy jednak Polacy naprawdę mają wybór? Oczywiście, zawsze jest wybór. W tym przypadku dokładnie taki, jak między życiem a śmiercią. To taki sam rodzaj wyboru, jak mieszkańców Warszawy złapanych w łapance: mogą ruszyć, bezbronni, na uzbrojonych Niemców – albo jechać na Pawiak.

Zawsze jest wybór – tylko co to za wybór?

Niemcy rozstrzeliwują kilkudziesięciu mężczyzn. Polskim mieszkańcom każą Żydów pędzić do stodoły, czekają, aż wszyscy wejdą. Potem podpalają i zgodnie z dyrektywą Heydricha „nie pozostawiają śladów".

Koniec wojny – początek procesu. Jego znak firmowy to odgórne naciski i „naoczni świadkowie" – bandyci, szantażyści, ludzie, którzy 10 lipca 1941 przebywali w Rosji. Czego byli świadkami?

Kolejne śledztwa i przerwana ekshumacja nie rozstrzygają sprawy, ale legenda żyje własnym życiem. Bo książka Grossa dziś to już nie sprawa jednego człowieka – to sprawa wielu ludzi.

Historia, która wciąż trwa i w której wszystko, co najważniejsze, jest dopiero przed nami...

ROZDZIAŁ V
TO TYLKO NORMA

– Na początku zamierzałem tylko się temu przyjrzeć –
ludzie w głębi duszy lubią wyzwania. Ani ja, ani współ-
pracownicy nie wiedzieliśmy dokładnie, co mamy badać,
więc sprawdzaliśmy wszystko i chyba niewiele rzeczy
nam umknęło. Ale im głębiej grzebaliśmy, tym bardziej
byłem przerażony. Jak w prawie Murphy'ego, według
którego najgorsza rzecz przychodzi zawsze w najmniej
spodziewanym momencie – zamilkł na jedną maleńką chwilę i zapatrzył się w odległy punkt za oknem. –
A później pomyślałem o milionach ludzi, których dotyczy ta historia i już wiedziałem, że mamy zadanie do
wykonania. Ta sprawa odmieniła mój sposób patrzenia
na naszą rzeczywistość. Kiedyś sądziłem, że to rzeczywistość bezpieczna, w granicach rozsądku, rzecz jasna.
Ale dziś już tak nie myślę. Prawda jest taka, że jesteśmy
w sytuacji, w której kończą nam się rozwiązania, a co gor-

sza kończy się czas. Idziemy na zderzenie z górą lodową, a tymczasem wszyscy wokół bawią się beztrosko.

– Jak na Titanicu – przerwałem, bo nasunęło mi się to proste skojarzenie.

– Jak na Titanicu – odparł, nie odwracając wzroku od okna. – Ale nie do końca. Bo nam nikt nie przypłynie na ratunek i wszystko, co możemy zrobić, to pomóc sobie sami. Teraz, bo odliczanie już się rozpoczęło – powiedział to tak spokojnie, jakby mówił o rzeczy zupełnie błahej, a jednak, wiedząc o nim to i owo, rozumiałem dobrze, że jest inaczej i że tak naprawdę mocno przeżywa swoje odkrycie.

Znaliśmy się słabo, mówiąc szczerze prawie wcale, a jednak paradoksalnie dość, bym pokusił się o własne zdanie na temat siedzącego przede mną człowieka. Jerzy Kwaśniewski, prezes Ordo Iuris – Instytutu znanego w kraju i daleko poza jego granicami, zaangażowanego w obronę ładu konstytucyjnego tak w życiu społecznym, jak i w obrocie prawnym, a przekładając z prawniczego na ludzki po prostu w obronę wartości – był wysokim i eleganckim facetem po czterdziestce, który zachował sportową sylwetkę. Zanim się spotkaliśmy, sporo słyszałem o nim od Wojtka, który znał go od lat. Wspierali się i stanowili zgrany tandem. Wiedziałem, że gdy mojego kolegę zatrzymali na lotnisku w Wielkiej Brytanii, to właśnie prezes udzielił mu wsparcia, z kolei przyjaciele Wojtka z Domowego Kościoła i nie tylko wspierali Instytut, który w dużej mierze funkcjonował dzięki darowiznom. Z przekazów wynikało, że Kwaśniewski był niczym pstrąg płynący pod prąd i w przeciwieństwie do wielu innych ludzi wartości, trzymających się jednak z dala od kłopotów – bo płynąc pod prąd łatwiej o rozdzierający upadek niż oszałamiający sukces – nie bał się ryzyka i je podejmował.

Słyszałem, że był świetnym adwokatem i po prostu przyzwoitym człowiekiem, do tego jeszcze skromnym, bo choć dużo osiągnął, nie zadzierał nosa. Teraz, rozmawiając z nim w siedzibie Ordo Iuris, legendarnym budynku PAST-y, skąd rozpościerał się wspaniały widok na całe centrum Warszawy, mogłem zrewidować to, co wcześniej słyszałem i naocznie się przekonać, że nic z tego, co o nim mówiono, nie było przesadą. Sprawiał wrażenie otwartego i uczynnego, a zarazem fachowego i wyluzowanego – jednym zdaniem porządnego, budzącego sympatię gościa. Nie miałem najmniejszych wątpliwości, że takim jest naprawdę. Wszystko to było bardzo ważne, a jednak dla naszego spotkania stanowiło tylko rodzaj tła, które mieliśmy wypełnić szczegółami, bo nie spotkaliśmy się na sympatyczną rozmowę przy herbatce. Spotkaliśmy się dlatego, że sprawdzając wszystko, co było do sprawdzenia, prezes Ordo Iuris poznał każdy fragment łańcucha DNA roszczeń żydowskich względem Polski oraz zagrożeń związanych z Ustawą 447 – a ja chciałem poznać stan jego wiedzy. Z naszej dotychcza-

sowej rozmowy wynikało jasno, że jako kraj znaleźliśmy
się w miejscu, w którym nie planowaliśmy się znaleźć,
z nieciekawą wizją przyszłości, i że był po temu najwyższy czas – choć właściwie należałoby powiedzieć ostatni
moment – by podnieść alarm. Rozmawialiśmy długo, ale
nie wiem jak długo, bo nikt z nas nie patrzył na zegarek
– i choć była to chaotyczna rozmowa, pełna niedokończo-
nych wątków i urwanych zdań, to jednak paradoksalnie
była szalenie zajmująca i mająca znaczenie, z jednego
prostego powodu: wyjaśniała istotę tego alarmu.

– Powinniśmy uporządkować to wszystko. Zacząć naszą
rozmowę jeszcze raz – zaproponował nagle, jakby czytał
w moich myślach.

– Od początku? – upewniłem się.

– Tak, od początku – powiedział, po czym odwrócił wzrok
od okna i rozpoczął podsumowanie swojej opowieści.

– O Ustawie 447 często się mówi jako o roszczeniach dotyczących tak zwanego mienia bezspadkowego. Nie mówi
się jednak, co stanowi istotę problemu i jest źródłem tego
typu roszczeń. A to bardzo ważne. Co do zasady roszczenia muszą być pochodną istnienia jakiegoś prawa.
Pytamy więc: czy jest jakieś prawo do żądania pieniędzy na rzecz jakichkolwiek podmiotów międzynarodowych, zbiorowych, w tym amerykańskich podmiotów,
które uzurpują sobie możliwość reprezentowania jakiejś
grupy społecznej, czy innych międzynarodowych podmiotów? I tu dochodzimy do pierwszego kroku. Trzeba

mieć świadomość, że prawo w przestrzeni międzynarodowej powstaje zupełnie inaczej niż prawo w przestrzeni jakiegoś kraju – to jest absolutne clou do zrozumienia wszystkiego, o czym teraz mówimy. Prawo w przestrzeni międzynarodowej rodzi się ze zwyczaju, z iuris, czyli z opinii o istnieniu pewnego uprawnienia. Nie ma skodyfikowanego trybu powstawania normy międzynarodowej, to rzecz niedookreślona – norma międzynarodowa staje się normą, gdy zostanie za taką uznana przez wystarczająco reprezentatywną grupę podmiotów prawa międzynarodowego – czyli państwa – i jest pochodną znaczenia i siły państw, które ją uznają. Poza wszystkim pewne normy ujmowane są w konwencje międzynarodowe, które strony podpisują, nadając im sankcje wagi i ważności – i tak też się dzieje. Tak jednak czy inaczej, kluczowe jest powstanie międzynarodowej normy. Kropka. Jak wygląda jej powstawanie? Mamy w historii prawa międzynarodowego długi etap, gdy głównym źródłem powstawania normy był po prostu zwyczaj. Było prawo narodów rozpoznawane jeszcze przez Rzymian, wiążące wszelkie cywilizowane narody, potem przez setki lat w prawie międzynarodowym funkcjonował właśnie zwyczaj jako główne jego źródło, następnie pojawiły się konwencje – ale nawet dziś na przykład Konwencja wiedeńska o prawie traktatów rozpoznaje zwyczaj jako źródło prawa międzynarodowego. Jest bowiem tak, że pewnego rodzaju normy w prawie międzynarodowym uznawane są za zwyczajowe i takie podmioty jak Organizacja Narodów Zjednoczonych – na zasadzie kropki nad i – jedynie te normy potwierdzają czy, mówiąc potocznie, „przyklepują". Tak było na przykład z konwencją o ludobójstwie z 1947, która de facto była i jest uznawana za konwencję wiążącą wszystkie państwa, bez względu na to, czy ją podpisały czy nie. Dlatego że wychodzi się z założenia, iż ludobójstwo – czyn zmierzający do wyeliminowania z istnienia grup, ludów czy narodów – jest tak bardzo sprzeczne z podstawowymi zasadami koegzystencji podmiotów prawa międzynarodowego, że musi być zakazane. Tak więc konwencja potwierdza tylko zasadę, która w zwyczaju i tak powinna istnieć. Dlatego można było skazywać niemieckich zbrodniarzy wojennych z okresu II wojny światowej – bo ich działania były sprzeczne z prawem narodów. Odwoływano się – prokuratorzy amerykańscy się odwoływali – do prawa narodowego, Sowieci mówili o świadomości prawnej ludu, ale tak czy inaczej odwołano się do norm, które były źródłem zwyczajowym i które były źródłem skazania zbrodniarzy, choć przecież nie było skodyfikowanych norm. Więcej – przecież działania zbrodniarzy niemieckich były zgodne z prawem pozytywnym stanowionym przez III Rzeszę, więc z punktu widzenia praw tego państwa nie byli oni żadnymi zbrodniarzami – to, że nimi jednak byli, uznano dopiero na gruncie prawa narodów. I właśnie przez pryzmat takich sytuacji trzeba spoglądać na proces tworzenia się norm związanych z roszczeniami żydowskimi. Bo jeżeli będziemy pamiętać, że w przestrzeni prawa międzynarodowego tworzenie norm jest procesem wypracowywania przez państwa, to zarazem będziemy mieć świadomość, że każdy akt uzewnętrznionej woli tych państw może być uznany albo za przyznanie istnienia jakiejś normy, albo z czasem może być wykazywany jako przynajmniej brak sprzeciwu wobec powstania norm.

Gdy więc teraz przeanalizujemy prawo międzynarodowe, zobaczymy, że w odniesieniu do roszczeń żydowskich względem Polski elementy tworzenia się na naszych oczach normy prawa międzynarodowego – czy to w orzeczeniach trybunałów międzynarodowych, czy w doktrynie prawa międzynarodowego – już istnieją. Takim elementem jest na przykład uczestnictwo w konferencjach międzynarodowych, na których reprezentowane są rządy poszczególnych państw i na których powstają tezy omawiające wygląd prawa międzynarodowego, rodzaj uprawnień przysługujących całym państwom lub tylko grupom w przestrzeni międzynarodowej i jakie występują związane z tym roszczenia. Jeżeli na takiej międzynarodowej konferencji wszyscy wyrażają dla czegoś aprobatę – zgodnie i bez sprzeciwu – to oznacza, że tego typu norma już istnieje, a przynajmniej ktoś może stwierdzić, że taka norma już istnieje, bo przecież nikt się nie sprzeciwił.

Brak sprzeciwu w Terezinie – to cały fundament Ustawy

447! Nie trzeba było nawet niczego podpisywać. Wystarczyło tam po prostu być – i nie protestować wobec tworzącej się normy prawa międzynarodowego. Tylko tyle i aż tyle, by – używając terminologii wojskowej – ktoś, kto był tym zainteresowany, mógł uchwycił przyczółek i mieć punkt zaczepienia. Bo dokładnie to stało się w Terezinie i dokładnie tym była Holocaust Era Assets Conference z 30 czerwca 2009 – uchwyceniem punktu zaczepienia.

Co naprawdę wydarzyło się w Czechach tego dnia? Przedstawiciele wszystkich uczestników organizowanej przez czeski rząd konferencji „Mienie okresu Holokaustu", czterdziestu sześciu państw – w tym przedstawiciela Polski w osobie Władysława Bartoszewskiego i randze podsekretarza stanu MSZ – przyjęło deklarację wzywającą, by „tam, gdzie nie zostało to osiągnięte, podjęto skuteczne działania na rzecz restytucji mienia żydowskiego wspólnotowego i religijnego majątku w drodze restytucji in rem lub rekompensaty". Uczestnicy konferencji solidarnie się zgodzili, że istnieje konieczność podjęcia wspólnych starań na rzecz ułatwienia odzyskania mienia żydowskiego spadkobiercom – ale także osobom pochodzenia żydowskiego w żaden sposób niespokrewnionym z właścicielami przepadłych majątków. Początkowo mówiono, że wszyscy tę deklarację podpisali. Potem okazało się, iż z imienia i nazwiska po prostu zostali pod nią podpisani, ale tak naprawdę z punktu widzenia procedur, o których mówimy, nie miało to żadnego znaczenia, bo wątpliwości nie ulega jedno – nie oprotestował jej żaden z uczestników, absolutnie nikt. Tyle wystarczyło, by ktoś – kto? – w każdej chwili mógł powiedzieć: „Rzeczpospolita Polska się nie sprzeciwiła rodzącej się normie prawa międzynarodowego. Kropka". Taki błąd trudno naprawić.

Pytano mnie, dlaczego konferencję zorganizował czeski rząd. Równie dobrze można by zapytać, dlaczego polski rząd zorganizował konferencję bliskowschodnią, której beneficjentem był Izrael i podczas której z ust premiera tego kraju mogliśmy się dowiedzieć rewelacji o Polakach współpracujących z Niemcami w mordowaniu Żydów. Gry lobbingu, zwyczajne lizusostwo, zakulisowe insteresy? A może po prostu działania polegające na mydleniu oczu, by tak długo jak to możliwe ludzie nie widzieli lasu spoza drzew? Nie wiem. Nie mam natomiast wątpliwości, że konferencja w Czechach miał być niczym stopa akwizytora w drzwiach naszego domu i punktem odniesienia do podjęcia kolejnych kroków.

Bo Terezin to był pierwszy krok – potem w Waszyngtonie wykonano krok drugi. Chodziło o to, by przejść do rzeczy, by Deklarację Terezińską uznali ważni gracze w przestrzeni międzynarodowej – i tak się stało. Jak to zrobiono? Podpisując Ustawę 447. Wyjątkowa i pamiętna chwila: najpierw przyjął ją amerykański Kongres, potem amerykański prezydent – wyjątkowo ważni gracze.

Najważniejsi.

Niektórzy ludzie wierzą, że historia to seria nieprzypadkowych zdarzeń i przemyślanych wyborów – sądzę, że jest dokładnie odwrotnie. Ludzie nie zastanawiają się nad sensem działania przywódców, bo wierzą, że przywódcy są od nich mądrzejsi. To trochę jak z dziećmi, które bezwiednie we wszystkim ufają rodzicom do czasu, aż odkryją, że rodzice nie są nieomylni.

Zacząłem razem z zespołem przyglądać się 447, gdy jeszcze niewielu o tej ustawie słyszało, a prawie nikt nie rozumiał, z czym mamy do czynienia – z sytuacją nietypową, w której nie chodzi o to, że ludzie umarli bezpotomnie, więc ich majątek przechodzi w ręce państwa. Rzecz w tym, że tu właściciele zginęli w dobie Holokaustu albo zdążyli przed Holokaustem uciec i już nie wrócili, więc ktoś wymyślił, że to sytuacja wyjątkowa i z uwagi na jej wyjątkowość wyjątkowo roszczenie nie będzie roszczeniem przeciwko zasadzie, według której mienie bezspadkowe przechodzi na skarb państwa. Proste jak drut, bez wstępów i upiększeń, ale chwyciło. A chwyciło, bo – trzeba przyznać – to zostało dobrze pomyślane. Ustawa 447 sama w sobie nie tworzy żadnych roszczeń, nakazuje wyłącznie sprawozdawczość. W punkcie drugim przywołuje jednak definicję państw, których dotyczy i definiuje je poprzez uczestnictwo w Konferencji Terezińskiej „Holocaust Era Assets Conference 2009”.

Przyjrzyjmy się sekwencji wydarzeń. W Terezinie Władysław Bartoszewski mówi bardziej o kulturze niż rekompensatach – dla niego temat żydowskich roszczeń jest tak odległy jak najdalsza galaktyka. Ale po pierwsze jest tam obecny jako przedstawiciel polskiego rządu, po drugie nie sprzeciwia się, gdy zapadają ustalenia – a te dwie rzeczy czynią z niego żyranta sprawy i pośrednio powodują autoryzację konferencji. Ta konferencja zostaje następnie przywołana w poważnym akcie przez poważne gremium – Kongres Stanów Zjednoczonych – które daje jej swój autorytet i uznaje za ważne wydarzenie w przestrzeni prawa międzynarodowego.

Ten moment – to początek procesu tworzenia normy!

Co się dzieje dalej? W relacjach międzynarodowych akcja zazwyczaj wywołuje reakcję, adekwatną do sytuacji i możliwości państwa rzecz jasna – ale jednak. Tak powinno być i w tej sytuacji, w odniesieniu do dwóch faktów w przestrzeni prawa międzynarodowego: jeden to konferencja 2009, którą należy czym prędzej oprotestować, drugi – Ustawa 447, która się do tej konferencji odnosi. Po przyjęciu Ustawy 447 przez amerykański Kongres naturalną koleją rzeczy dla państwa dbającego o własne interesy wydaje się zrobienie tego, co powinno być zrobione dawno temu: oprotestowanie konferencji w Terezinie na szczeblu rządowym i jasne stwierdzenie, że to, co tam zaszło, nie miało charakteru konferencji międzyrządowej. Kolejny krok to nota do amerykańskiego rządu, stwierdzająca, że przywoływanie w akcie

Kongresu konferencji z 2009 – która nie pozwala na definiowanie czegokolwiek w przestrzeni międzynarodowej – jest nieuprawnione. To na początek. Od tego momentu w państwie, które dba o swoje interesy i wizję przyszłości, żaden niepokojący sygnał w tak ważnej sprawie, która może decydować o przyszłości całych pokoleń, nie pozostałby bez reakcji, nie byłoby żadnej wypowiedzi zostawionej bez odpowiedzi. Powołanoby instytucję, która w sposób asertywny i merytoryczny reagowałaby na każdy przejaw przywoływania rzeczywistości, której tak naprawdę nie ma. Ktoś cały czas trzymałby rękę na pulsie, dbał o wysyłanie not, organizowanie konferencji, nikt nie mógłby bezkarnie kłamać i tworzyć fikcji. Czułoby się determinację władz państwa, które najsilniej odczuwa zagrożenia wynikające z Ustawy 447 i które mogłyby – zdecydowanie powinno – stworzyć koalicję państw zagrożonych jej działaniem, może w mniejszym stopniu, ale jednak. Tymczasem stało się inaczej i wszystko przybrało inny obrót.

Czy przedstawiciele władz biją na alarm, protestują? Nie. W sytuacji rodzącego się zagrożenia zachowują się niezwykle nonszalancko. Zamiast stać prosto z otwartą przyłbicą, chowają głowę w piasek albo spotykają się z przedstawicielami organizacji żydowskich wymuszających roszczenia, w różnych gremiach, na zakulisowych spotkaniach, o których przekazują zdawkowe informacje. Ale czy w trakcie tych spotkań zajmowane są jakieś stanowiska, a jeśli tak, to jakie, czy podpisywane są protokoły? Nic nie wiadomo, co najwyżej że z państwowej kiesy setkami milionów dotowane są żydowskie instytucje, muzea i cmentarze, w mało przejrzystej formie i treści. Czy władze odnoszą się merytorycznie do zagrożeń związanych z Ustawą 447? Nie. Zamiast tego mydlą ludziom oczy, opowiadając, że przecież nie podpisaliśmy umowy terezińskiej, więc nic nam nie grozi, a na dodatek chroni nas jeszcze umowa z 1960.

Jak jest naprawdę?

Sprytny zabieg wynikający z 447 pozwolił obejść tę umowę i roszczenie nie tyle nazywać roszczeniem, co związać z zadośćuczynieniem. Co więcej ustawa wytworzyła pole, by majątek polskich obywateli narodowości żydowskiej zdefiniować bardziej odrębnie niż majątek i roszczenia obywateli USA. By to wyjaśnić, wybierzmy się w krótką podróż pomiędzy przeszłością a nieodległą przyszłością – na początek zanurzmy się w przeszłości.

Ponad pół wieku temu PRL zawarła ze Stanami Zjednoczonymi umowę jakoby rozwiązującą problem roszczeń obywateli USA z tytułu nacjonalizacji, innego rodzaju przejęcia mienia, praw, interesów, które miało miejsce w dniu lub przed dniem wejścia w życie niniejszego układu. Umowę, w efekcie której z tytułu wszelkich decyzji o przejęciu mienia ówczesna Polska wypłaciła Amerykanom czterdzieści milionów dolarów na – jak to określono – całkowite uregulowanie i zaspokojenie wszystkich roszczeń obywateli Stanów Zjednoczonych, osób fizycznych i prawnych wobec rządu polskiego, ratyfikowały amerykański Kongres i polski Sejm. Amerykańskie władze miały rozdysponować wypłacone pieniądze wedle własnego uznania i zobowiązały się nie popierać w przyszłości żadnych roszczeń obywateli Stanów Zjednoczonych względem Polski. Kropka.

Jesteśmy, gdzie jesteśmy – tu i teraz, w tej rzeczywistości, w której ten i ów mówi krótko: umowa z 1960 nas chroni i zamyka temat. Ja powiem jeszcze krócej: nie słyszałem nic głupszego.

Przenosimy się w nieodległą przyszłość – rok, może kilka lat naprzód – w czas, gdy powstająca dziś na naszych oczach nowa norma już zafunkcjonuje. Taka czy inna organizacja lub może taka czy inna grupa obywateli amerykańskich żydowskiego pochodzenia wnosi sprawę do amerykańskiego sądu. Tego samego, który kiedyś odesłałby ich z kwitkiem, informując, że to sprawa amerykańskiego rządu, bo przecież jest umowa z 1960. Co mówi teraz?

Mamy nową normę prawa międzynarodowego, która jest późniejsza i nie dotyczy już nacjonalizacji roszczeń, majątków obywateli amerykańskich, a dotyczy całkowicie nowego roszczenia, które nie jest roszczeniem o odszkodowanie, tylko zgodnie z 447 jest roszczeniem o zadośćuczynienie dla ocalałych z Holokaustu pozostających w potrzebie. Bo wytworzyła się nowa norma! I dodaje:

umowa z 1960 nie odnosi się do roszczeń organizacji, których roszczenia nie są związane z nacjonalizacją, lecz z jasną normą prawa międzynarodowego: „państwo, które zawłaszczyło majątki swoich własnych obywateli w toku działań ludobójczych, jest zobowiązane, żeby wesprzeć grupę, przeciwko której ludobójstwo zostało skierowane, reprezentowaną przez podmioty prywatne na przestrzeni międzynarodowej, uznane przez inne państwa". To nie ma nic wspólnego z nacjonalizacją. Innymi słowy istnieje norma prawa międzynarodowego, która mówi, że państwa będące beneficjentami zaboru mienia pożydowskiego powinny zadośćuczynić społeczności żydowskiej reprezentowanej przez odpowiednie organizacje. I dodaje – z tej normy międzynarodowej wynika, że takie roszczenie istnieje i w świetle tej międzynarodowej normy interpretujemy umowę z 1960, która mówi, że rząd amerykański przyjmuje roszczenia związane z nacjonalizacją i stwierdzamy, że przyjęcie mienia jako niczyjego nie było nacjonalizacją, w związku z czym roszczenia te nie są adresowane do rządu amerykańskiego. Bo to jest inna kategoria. Koniec.

Tak powstaje roszczenie zabezpieczone przez sąd poważnego i poważanego w świecie państwa i tu wchodzi fakt z przestrzeni prawa międzynarodowego – czy Polska to roszczenie uznaje czy nie? Jest w sytuacji nieporównywalnie gorszej niż jeszcze kilka lat wcześniej, kiedy mogła na wiele sposobów oprotestować powstawanie normy prawa międzynarodowego, ale z bliżej nieznanych powodów na żadnym etapie tego nie zrobiono. Krótkowzroczność, patrzenie przez pryzmat czteroletniej kadencji na zasadzie „po nas choćby i potop", zwyczajna amatorszczyzna i niechlujność, doraźne interesy i zewnętrzne naciski – że wymienię tylko te z lepszej wersji, bo o gorszej boję się nawet i myśleć. Tymczasem mamy do czynienia z najpotężniejszym państwem świata, naszym sojusznikiem, ale przede wszystkim sojusznikiem Izraela i państwem, w którym obywatele amerykańscy żydowskiego pochodzenia mają do powiedzenia więcej niż obywatele amerykańscy jakiegokolwiek innego pochodzenia. Państwem, którego wymiar sprawiedliwości udzielił właśnie ochrony prawnej, czyli uznał istnienie roszczenia.

Trzymając się tylko tej lepszej wersji, uwierzyliśmy – nasz rząd naiwnie uwierzył – że w sprawach dotyczących Polski w przestrzeni międzynarodowej nic się nie stanie bez jego zgody. To pozytywistyczne podejście do prawa międzynarodowego właściwe ludziom, którzy z prawem międzynarodowym mają niewiele wspólnego i którzy uważają, że normy prawa międzynarodowego tworzą się wyłącznie poprzez negocjowane konwencje, umowy, traktaty. Tymczasem na naszych oczach tworzą się normy prawa zwyczajowego. Widzimy, że normy traktatowe są redefiniowane przez prawo zwyczajowe. Te same normy, które pół wieku temu były przyjmowane w powszechnej deklaracji praw człowieka, w konwencjach z lat pięćdziesiątych czy sześćdziesiątych, dziś oznaczają coś zupełnie innego. Bo w międzyczasie w prawie międzynarodowym niemalże zwyciężyła doktryna żyjącego traktatu, która mówi, że ta sama litera w dwóch sprawach może znaczyć coś zupełnie innego. Bo sytuacja społeczna jest inna, bo inne są poglądy doktryny, bo zwyczaj się przekształca – a oprócz tego mamy czyste normy prawa międzynarodowego. Zapomnieliśmy – znów: rząd zapomniał – że prawo międzynarodowe to funkcja dwóch elementów: woli politycznej i siły graczy. A w tej konkretnej sytuacji ani jedno, ani drugie nie jest po naszej stronie. Czy taki kraj jak Polska ma jakąkolwiek szansę, by teraz się temu przeciwstawić? Wykluczone. Na tym etapie można już tylko negocjować tryb i wysokość zapłaty.

Bo czas minął i wszystko jest już pozamiatane...

Taka jest nasza krótkoterminowa perspektywa, w której wkrótce wysoką cenę za wieloletnie zaniedbania zapłacimy wszyscy. W najlepszym razie zapłacą ci, którzy są po nas. Będzie to pokolenie twoich dzieci, prawdopodobnie ostatnie w Polsce, jaką znamy.

Ostatnie zdanie Jerzy Kwaśniewski wypowiedział, patrząc mi w oczy. Do tego momentu milczałem i nawet okiem nie mrugnąłem, ale teraz, przyznaję, miałem dość. Nigdy jeszcze nie przeprowadzałem doświadczenia, o którym opowiadał mi Wojtek – z żabą wrzuconą do garnka z zimną wodą, podgrzewaną na wolnym ogniu aż do stanu wrzenia i śmierci zwierzęcia, które zamiast wyskoczyć, do końca pływa w wodzie w najlepsze – ale nie muszę już takiego doświadczenia przeprowadzać, by zobaczyć beztroskę w obliczu zagrożenia i błogi spokój zamiast działania. A nie muszę, bo już wiem, co się wtedy czuje. Wystarczyło włączyć telewizor, by zobaczyć bezdenną głupotę większości publicystów usypianych bredniami polityków i totalną marginalizację problemu, który będzie miał wpływ nie tyle nawet na tę czy następną kadencję, co po prostu na los następnych pokoleń. Pamiętam, o czym wtedy pomyślałem: że nawet jeśli tak namalowana czarna perspektywa byłaby przesadą, powinniśmy przecież zakładać najgorszy scenariusz, postępować w myśl znanych wszystkim słów o narodzie, który marzy o pokoju i dlatego zawsze powinien być gotowy do wojny – a pomyślałem tak, bo akurat ja wiedziałem nader dobrze, że nic tu nie było przesadą. Tymczasem poza zdawkowymi wypowiedziami, które przy pohukiwaniach Izraelitów brzmiały jak pisk myszy, nie zrobiono nic – ale to absolutnie nic. A nie zrobiono nic, bo sposób myślenia polskich pożal się Boże elit politycznych był właśnie taki: cztery lata – a co potem, to nie mój problem. Szkopuł w tym, że ten problem był teraz tuż za naszymi plecami i właśnie nas doganiał, w najlepszej wersji przechodząc z ojca na syna. Być może naszą ostatnią nadzieją było podążenie tropami biblijnego Nataniela, o którym tak lubił rozprawiać mój kolega, a który musiał pokonać długą drogę pełną trudów, cierpień i niebezpieczeństw, by na koniec zrozumieć, jak sam niewiele znaczy i by znaleźć ocalenie – w zawierzeniu. Rozumiałem dobrze, że najważniejszą na teraz kwestią było pytanie o czas. Powiedzenie, że „czas jest darem" w kontekście naszej rozmowy nabierało dla mnie zupełnie nowego znaczenia. Zamierzałem zapytać o to prezesa Ordo Iuris w nadziei, że nie poskąpi mi szczegółów, ale najwyraźniej miał dar telepatii, bo nim zdążyłem otworzyć usta, odpowiedział na pytanie, którego nie było.

– To prezentacja wizji przeszłości, ale nieodległej, bo roszczenie, o którym mówimy, to kwestia kilku lat. To zagrożenie, które zrodziło się stosunkowo niedawno – proces trwający od 2009 – problem w tym, że nasz rząd tego procesu nie kontroluje, gdy tymczasem stojące za tym organizacje weszły na wyższy poziom, bo do uznania skutków procesu tworzenia prawa międzynarodowego zaangażowały Kongres USA i amerykańskiego prezydenta. Przy okazji stało się coś, co umknęło uwadze opinii publicznej, a co jest niezwykle interesujące: Deklaracja terezińska powołała komitet, który miał monitorować podjęty tam temat, ale potem wszystko przejął amerykański Kongres – i to Kongres od tego momentu jest adwokatem tej sprawy.

Bez cienia przesady możemy zatem mówić o zagrożeniu

narastającym. Wszystko zależy od tego, czy nasz kraj, który jest głównym celem Ustawy 447, potrafi sprzeciwić się jej skutecznie – czy będzie musiał takie roszczenie uznać czy nie. Obrany kurs wskazuje, że idziemy na zderzenie z górą lodową, tymczasem rząd nie robi nic, by kurs zmienić – żadnej formalnej noty, żadnego formalnego protestu, żadnych zmasowanych działań w przestrzeni międzynarodowej, którymi powinni się zająć politycy, a od strony wizerunkowej na przykład Polska Fundacja Narodowa. Poza uspokajaniem własnego społeczeństwa, które jest niedoinformowane i nie ma świadomości, o co toczy się gra – nie dzieje się kompletnie nic. A przynajmniej nic, o czym byśmy wiedzieli. Ktoś, jak w pokerze, powie wreszcie „sprawdzam" i postawi roszczenia przed sądami. Nastąpi to w momencie, w którym ich autorzy i poplecznicy będą mieli pewność, że tworząca się obecnie norma zaczęła działać, a RP nie będzie mogła w konkretnej sytuacji geopolitycznej roszczeń odrzucić. Reasumując – do przeprowadzenia całej tej operacji od początku potrzebne były trzy elementy. Pierwszy. Zbudowanie fundamentu, do którego można się odwołać – i to się udało. Drugi. Wygenerowanie normy prawnej – i to dzieje się teraz: media, Hollywood, autorytety i przedstawiciele amerykańskich czy izraelskich władz, przy aprobacie zawsze nam „życzliwych" Niemców czy Rosjan, nie przepuszczą żadnej okazji, by wspomnieć o rzekomej polskiej winie i polskim nazizmie – by świat to uznał i przyjął za oczywistość. Ostatni to już tylko kwestia wyczekania, a jeśli zajdzie potrzeba choćby wykreowania sytuacji geopolitycznej, w której – mając nóż na gardle czy ulegając innej formie nacisku – zgodzimy się na wszystko. Jakiekolwiek działania podejmowane po tym będą mniej niż daremne i nikt nie wie, co będzie dalej – na jedną maleńką sekundę zawahał się, jakby coś w sobie ważył, ale po chwili spojrzał na mnie i już wiedziałem, że powie, co zamierzał. – Kiedyś usłyszałem coś, w co uwierzyłem: że nigdy nie jest za późno, by zrobić, co należy. Teraz już w to nie wierzę.

– A ja usłyszałem coś, czego do końca nie zrozumiałem: żyjemy po to, żeby być wspomnieniami tych, co przyjdą po nas. Teraz wreszcie to rozumiem.

Uśmiechnął się do mnie, a ja uśmiechnął się do niego – ale nasze oczy pozostały smutne.

Jak na jeden dzień miałem dość. Najwyraźniej wszystko, co było dziś do powiedzenia, zostało już powiedziane. Wymieniliśmy uścisk dłoni i ruszyłem w kierunku wyjścia. Byłem przy drzwiach i nacisnąłem klamkę, gdy nagle coś mnie tknęło i się odwróciłem.

– Jeszcze jedno pytanie, jeśli można.

– Proszę.

– Zastanowiło mnie to, co powiedziałeś wcześniej. O tym, że przedstawiciele rządu spotykają się z wysłannikami organizacji żydowskich wymuszających roszczenia.

– Tak?

– Nie chodzi o to, że rząd nie neguje tytułu reprezen-
tatywności tych organizacji – chociaż mógłby, a nawet
powinien.

– Słucham?

– Nie chodzi mi także o to, że o tych spotkaniach nie
wiemy prawie nic – nawet tego, czy w ich trakcie zajmowane są jakieś stanowiska albo podpisywane protokoły.

– Słucham?

– Rzecz w tym, po co w ogóle się spotykają.

– Interesujące, prawda?

*

Listopadowe niebo było piękne i błękitne. Opadłe z liści
drzewa i świecące słońce dziwnie współgrały z jednym z
tych niezwykłych miejsc, w których teraz się znajdowałem, a których większość ludzi zazwyczaj unika, nie chcąc
przyjąć do wiadomości, że mogą zapomnieć o śmierci, ale
bez wzajemności, bo ta o nich nie zapomni na pewno. Tak
więc byłem pośród ludzi, którzy już nie żyli – choć nadal
są żywi, bo gdzie, jeśli nie w takim miejscu, w jakim
teraz się znajdowałem, można poczuć, że duch zmarłych
przetrwa w pamięci żyjących? Cmentarz Powązkowski
w Warszawie, bo to było owo niezwykłe miejsce, ma
ten jedyny w swoim rodzaju klimat, którego próżno by
szukać na jakiejkolwiek innej nekropolii w Polsce. Obok